JN045488

コーヒーについて
ぼくと詩が語ること

小山伸二

コーヒーについてぼくと詩が語ること

小山伸二

目次

第2章　ソクラテスのカフェ

第3章　コーヒー文化論一九六八／二〇一八

コーヒーを愛する未知のあなたへ

この本を開いて、どんなコーヒー本なのかと思っているあなたに。ここだけの話だけど、これはとても風変わりな本です。

この本は、コーヒーの楽しみ方、おいしく飲む方法を知りたいというあなたにとっては、ちょっと面食らう展開になっているかもしれない。というのも、コーヒーのことについて、神話や宗教、そして人類と詩みたいな話題が飛び出してくるから。

いまや世界中の人に愛されているコーヒーを語るときに、そんな風に話題が転々と転がっていくことに、あなたは面食らうのかもしれない。でも、まずは「おいしいコーヒー」について話を始めることにしよう。

ある映画で、主人公の女性が元コーヒー屋のおじさんに「おいしいコーヒーの淹(い)れ方」を尋ねるシーンがある。そのときのおじさんの答えとは。

「ほかの人に淹れてもらうことだよ。人に淹れてもらったコーヒーは、おいしいからね」。フィンランドのヘルシンキを舞台にした映画『かもめ食堂』（二〇〇六年）で小林聡美演じるサチエと、以前、同じ場所でカフェをやっていた元店主のおじさんとのやりとりだ。ちなみに、おじさん役のマルック・ペルトラはアキ・カウリスマキ監督の映画『過去のない男』（二〇〇二年）で主人公を演じている（この映画は第2章の終わりにふたたび登場する）。

ほかの人のために何かしてあげることのなかに、「おいしさ」の秘密がある。だとしたら、淹れてくれる人のいない、ひとりぼっちの人はどうすればいいのだろう。

ぼくなら、こう答える。

違う自分になって、自分のために淹れてあげることで、そのコーヒーは、おいしいコーヒーになっている。人は忙しくて、心が折れてしまいそうなとき、自分自身のために手間隙かけて何かするなんてできないものだ。でも、そんなときこそ、煮詰まっている自分から自分を引き離して、別人になって自分のためにいつもより丁寧にコーヒーを淹れてみる。すると、そのコーヒーはきっと、いつもよりさらにおいしいものになっているはず。

もう少し具体的に、最高においしいコーヒーを飲む方法を考えてみよう。

何よりも重要なことは、あなたにとって「おいしい」とは何かをきちんと考えること。『かもめ食堂』のサチエは、自分の淹れるコーヒーが本当においしいのか、自信を失いかけていた。だから、おじさんに淹れ方を聞いたのだ。

ここで、サチエが「おいしい」とは何かを自分なりに考えていたところが重要だ。「おいしい」には正解はなくて、何がおいしいのかを問いかけること、自分で考え、感じることが大切なんだ。

そもそもコーヒーは苦い飲料で、本当ならば人が好きになれない「まずい味」なのだ。それが証拠に、赤ん坊の口にコーヒーを含ませたらほとんど例外なく、嫌がり、泣き出してしまうだろう。コーヒーの苦味は本来、母乳とは正反対に人間が口にすべきではない「まずい味」なのだ。苦いにもかかわらず、コーヒーが好きなぼくやあなたに「おいしい」という事態が起きているとしたら、それはいったい、どういうことなのか。

すなわち、「おいしい」とはどういうことなのか。このことを深く考えるためにも、苦いコーヒーについて考えることは有意義であり、広く食文化を語る上で興味深いテーマになるだろう。

「おいしいコーヒー」とは何か。そもそも「おいしい」とは何か。それは自分にとっての「おいしい」なのか、誰かにとっての「おいしい」なのかを考えること。

ぼくは、重層的で移り気な「おいしい」という「現象」を追求することが、人類が手に入れた食文化における楽しみ、つまりコーヒーの楽しみのひとつだと思っている。

おいしいコーヒーを求めて

この辺
なのでは
うーむ
ピン
ポーン
ちわー
こっち
こっち
やぁ
いらっしゃい
おじゃま
しまーす
ちょうどいま
焙煎を始める
ところ
Coffee
Coffee
Coffee

そう
コーヒーに
興味が?

自分で
焙煎?
これ
おみやです

コーヒーの味を決めるのは
自分の好みのローストの
具合を探すことなんだ

そもそも
コーヒーって何ですか?
お口汚しに…

自分なりの好みの
チャートを色で
イメージしてね
浅
深

深炒りは苦くてコクがある
浅炒りは酸味と香りが豊か
深炒り…
くんくん

自分で焼いても、
買ってもいいから
飲み比べて、自分の好みの
焼き加減を見つけてね
そうねえ
どーよ

コーヒーは銘柄・産地ではなく、
まずはロースト度合いで選ぶ
ぼくは
深煎り

まずは地域を絞り込む
中米、南米、東南アジア、
インド、アフリカ…
値段も
それ
ブラジル
日本どこ?

好みが見えてきたら
同じ焼き加減で違う産地や
違う店のコーヒーを
飲み比べる
産地?
ペルー
とか
ブラジル

またはストレート(単一産地)か
さらにシングルオリジン
(単一農園)か
あるいはブレンドか
フガー

精製法が
水洗式か
自然乾燥式か
焼いてる人が
答えられ
なかったら
その店では
もう買わない
ネットで
調べてね
品種は
アラビカ種か
ロブスタ種か

でもこのあたりまでくると
自分の好きな味のような
ものがみえてくるはず
あら?
ねてる…

というくらいに迷路のような
コーヒーの森に入り込んだら
もう出てこれなくなるから
ほどほどにね

つまりね「おいしい」は
人によってそれぞれ
違っていてしかも自分の
なかでも日によって
違うんだ
体調
にもよる
おきた
ん?
ガリガリ

そろそろかな?

いろんな味を
ためしてみてね
急いで
粗い豆
薄
ゆっくり
細かい豆
濃
ナルホド

コーヒー豆をたくさん
つかって少しの量に
したら濃くなり、
たくさんなら
薄くなる
お湯の量ね
フンフン

そして
最後に
淹れてあげる人のこと
を思って ていねいに
コーヒーを作ります
きっとそれが
そのひとにとっての
おいしいコーヒー
ハイ どーぞ
・・・
ウーム
なんか
いっぱい
もらった
帰ったら
さっそく
やろう
おわり

おいしいコーヒーを求めて
手網焙煎機
うちわ
ざる
エントツ
強火すぎると
豆の中が生焼けに
弱火すぎると
中心が焼けて
外が生焼けに
小型焙煎機
生豆は
ネットで
注文しよう
Coffee
どのカップで
飲むか
考える
内側は白だとコーヒーの色が
わかりやすいが、色があった方が
はえる場合もある
とびっきり
苦いコーヒーに
砂糖をたくさん
入れるのも
いいけど
甘いチョコレートを
口に含んだままで
とびっきり苦い
コーヒーを飲むのも
オツかと
器で味が
変わるのだ
あとアイルランドの人みたいに
苦いコーヒーにたら〜りと
アイリッシュ・ウイスキーを
たらすのもいいね
たら〜り

第1章　旅するコーヒー

1　はじめに、あるいは道草から始まる物語

ぼくがコーヒーについて語るとき、語りたくなること。

中世から現代までの詩人たちがコーヒーについて語ってきたこと。

レイモンド・カーヴァーみたいに、What we talk about when we talk about coffee（コーヒーについてぼくと詩が語ること）と題したこの本には、研究者や愛好家たちが語るような体系だった知識や最新の情報、あるいはトリビアなウンチクがあるわけではない。それは、カフェでの長いお喋りのようなものかもしれない。話題は映画だったり、世界だったり、イスラーム（注1）だったり、覚醒と酩酊だったり、孤独や戦争、文学、詩、そしてぼくなりの哲学だったりもするだろう。

長いお喋りに入る前に、まずは自己紹介をしておこう。

ぼくがコーヒーに出会ったのは、一九七〇年代の初めの頃、南九州の地方都市のコーヒー店だった。ぼくは中学生になったばかりだった。店の名前はあやふやな記憶だが「ガンバルニャン」だったような気がする。いまとなってはそんなふざけた名前のコーヒー店が実際に

あったかどうかも、怪しいが。

ともかく、その店でコーヒーの豆を挽いてもらい、家に持ち帰ってペーパー・ドリップで淹れるという体験が、ぼくとコーヒーの付き合いの始まりだった。

その頃のぼくは、小説や文学評論などを背伸びしながら読み出していた。ぼくにとって、文学とコーヒーはセットになって、大人になるために必要なものだった。

地方育ちのぼくは東京に憧れていたので、渋る両親を説得して東京の大学に進学した。ただし、希望の文学部には行かせてもらえず、将来、弁護士になることを条件に法学部なら許すと言われて、東京で晴れて大学生となることができた。

文学は研究するものではなく、自ら読み、いずれ書くものだと思っていたぼくは、別に文学部でなくてもいいやと強がっていたが、いざ、法学部に入学してみて、実務的な法律の勉強というものに辟易することになった。いくら東京に出て来るための方便とはいえ、法律用語と付き合うのは苦痛以外の何ものでもなかった。

三年生になってゼミを選ぶ段階になって、できるだけ実務的な法律と遠いことを勉強したくて、「法人類学」の教授のゼミをとることにした。そのゼミは、非西欧社会における法的価値原理を、ギリシア哲学とイスラーム法哲学を使って学ぶというものだった。

このゼミで、『日訳・注釈 聖クラーン』（三田了一・訳、日本ムスリム協会）を読むという体験を持った。のちに、コーヒーをテーマに雑誌の仕事をする場面で、イスラームが意味を持つことになるのだが、それはいずれまた話そう。

大学を卒業したぼくは、親の期待を裏切って、司法試験の勉強など一切しないまま、東京の柴田書店という出版社に就職した。一九八〇年代初頭のことだ。

入社して間もなく、コーヒー雑誌の編集部に配属された。雑誌名は『blend』。コーヒーを楽しみ、コーヒーを遊び、コーヒーを通して世界を語ることをコンセプトにした、一種のカルチャーマガジンだった。ただ残念ながらこの雑誌は、時代に早すぎたのか、3号を出す直前に廃刊になってしまった。

『blend』の編集部員として二年間、ぼくは全国の自家焙煎店を取材して回った。当時、編集部の方針として、自らコーヒーを焼いているコーヒー店を中心に取材しようとしていた。一杯のコーヒーの味を決めるのに、「ロースト（焙煎）」が何よりも重要であり、コーヒーの品質を左右するのはローストしてからの鮮度だという、信念のもとに。そして、焙煎する職人を取材するのだから、自分でも豆を焼いてみなくてはということになった。

そこで、針金でできた円形のバスケットのような形状に木の取手が付いた銀杏（ぎんなん）炒り器を手に入れ、小型焙煎器とした。生豆は知り合いのコーヒー店から分けてもらった。

ガス火の上で十数分、豆が焦げないように円形バスケットをひたすら振ると、やがて豆は色づき、焼き上がる。いい香りとともに、ポツポツとポップコーンのように弾ける豆の、まるで生き物の息吹のようなものがバスケットを握っている手に伝わってくる。

自分で焙煎することが取材に役立ったのかはともかく、それは趣味となり、以来四十年近くコーヒーを焼き続けてきた。自分でコーヒーを焼くことの楽しみを教えてくれた編集長には、いまでも感謝している。この編集長との出会いがなければ、きっとこの本も生まれなかっただろう。

この編集部に在籍した数年の間に、ぼくの関心は、コーヒーそのものよりコーヒーを通して見えてくる世界の歴史や、未知の宗教、経済システム、さらには覚醒と酩酊の織りなす感情の領域へと拡散していったのだと思う（『blend』については第3章であらためて）。

こうして始まったぼくのコーヒーをめぐる語りは、一九六八年のパリ、九十年代のバブル崩壊と東京の喫茶店、ジャック・プレヴェールの詩、中島みゆきの「流星」で歌われた自販機のコーヒーの周辺を転々としていった。

この本の中には、二十世紀末から二十一世紀にかけて書き継いできた文章が混在している。それぞれの初出は巻末に載せているものの、この本をまとめるにあたって大幅に手を加えている。

ぼくの語りは、コーヒーの全体像にたどり着くことはきっとない。全体像ならば、二十世紀の初頭に、アメリカのジャーナリストのウィリアム・H・ユーカーズ（1873〜1945）が、『オール・アバウト・コーヒー』（一九二二年初版）で見事に描いている。ユーカーズはこの大著のなかで、コーヒーの歴史、技術、学術、商取引、社会、芸術とありとあらゆるジャンルに言及しながら、見事にコーヒーのすべてを俯瞰的に描き切った。彼以降のコーヒー本はどれも、まさに後塵を拝するしかないくらいに。

それでも、ぼくが語りたいことは残っている。

例えばコーヒーと文学について。いくらユーカーズが、多くのコーヒーの詩を引用してくれても、ぼくがコーヒーと詩について語りたいことは残されている。

いや違う。むしろ彼の本にそそのかされるようにして、ぼくの詩とコーヒーをめぐる語りは始まったのかもしれない。

さて、ぼくたちのこの時代。

二十一世紀初頭。ちょうどユーカーズが禁酒法時代のアメリカで『オール・アバウト・コーヒー』を出版してから百年後の現在。ネット上では素敵な写真と気のきいたフレーズだけが膨大な「いいね！」という承認を得ながら世界中にシェアされ、同時にそれに負けないくらいの量の罵詈雑言が青い光をきらめかせながら拡散される現在がある。

いろんな事象がタイムラインをただ流れていく。

そんな夜や朝や昼に、ぼくのコーヒーをめぐる長々しい語りにつきあってくれる人なんているのだろうか。それはいささか心もとないことだけど、そろそろコーヒーを語るときにぼくの語ることを、ある映画の話から始めてみることにしよう。

2　ニコのコーヒーをめぐる冒険

ドイツ映画『コーヒーをめぐる冒険』（二〇一二年）。原題は『Oh Boy』。監督のヤン・オーレ・ゲルスターは、この長編デビュー作でいきなり二〇一三年度のドイツ・アカデミー賞6部門を受賞した。

主人公はベルリンに住む、二年前に大学を親に内緒で中退したニートの青年、ニコ・フィッシャー。自分がこれから何をやっていけばいいのかわからない、どこにでもいそうな若者だ。そんなニコの朝から翌日の朝までのほぼ二十四時間をいささかコミカルなタッチで追いかけるモノクロームの映画だ。

同じくモノクロームの、ジム・ジャームッシュ監督の『ストレンジャー・ザン・パラダイス』（一九八四年）を思わせるスタイリッシュな映像。でもそこで描かれるのは、たった一杯のコーヒーを飲みたいだけなのに、いつまでも飲むことができないという、ただそれだけのなんとも冴えないニコの一日だ。

いまどきのリアルな青春を淡々とすくいとっているところに、ヤン・オーレ・ゲルスターの才能が感じられる。

運に見放されたニコの一日は、たいした展開もないままに進む。個性的な人たちに出会うものの、「冒険」とはほど遠い。気のきいた会話の連続だけれど、小さな不運がまるで冗談のように続き、ニコは肝心の一杯のコーヒーにありつくことができない。

恋人も、運転免許証も、父親からの援助も失うはめになる切なくユーモラスな二十四時間。やがて観客には、この映画のなかでいつまでも登場しないコーヒーの存在が、何か特別な存在のように思えてくる。

決して飲むことのできない不在のコーヒー。

それは、たまたま売り切れていたり、いつもの店が閉まっていたり、いよいよ飲めそうな店では値段が高すぎて飲めない、といった具合に、偶然にしては出来すぎなくらいだ。

いつのまにか観客もニコと一緒になって、ベルリンの街を不在のコーヒーを求めてさすらい始めることになる。ニコが飲みたいのに飲めないコーヒーを、ぼくもまた無性に飲みたくなって、むずむずし始める。

さて、そんなコーヒーを、この不思議な黒くて苦い飲料を、人はいつ頃から飲むようになったのか。

コーヒーについて語るときにぼくの語ること。

モノクロームで描かれるベルリンのカフェの一角で、ぼくも映画の登場人物となって、コーヒーにありつけないニコに向かって、何から切り出そうか考えている。

コーヒーを飲めないことにアイデンティティがあるニコだから、ぼくも彼につきあって、スコッチでも注文して、ちびちびやりながら始めよう。


そもそも、コーヒーという飲料は、どこで、どうやって生まれたものなのか。そう、コーヒーの起源について、ぼくなりの知識をかき集めて、語ってみることにしよう。


物事の起源の詳細は多くの場合、闇のなかで、真相は本当のところよくわからない、というのが相場だ。例えば、詩の起源、言語の起源などと語り始めたら、決まって大袈裟なことになってしまう。

残念ながらコーヒーの起源も、語り始めたら、「人類」はもちろん、「宗教」「世界」「近代」「資本主義システム」なんてぼく自身、ふだんの生活では口にしないような言葉が、ポンポン飛び出してくる。村上春樹の小説の登場人物なら「やれやれ」と呟くはずだ。きっとニコも、ぼくの長い話に首をすくめるに違いないが、ともかく始めよう。

ニコは知っているだろうか。

コーヒーにはふたつの起源があるということを。

ひとつは、原料になる植物「コーヒーノキ」の活用法としての起源。もうひとつは、ニコやぼくが飲みたいと思っている飲料としての起源だ。

アカネ科コーヒーノキ属（コフィア属）(注2)は、アフリカ大陸原産で、そのうち飲用の七割を占めるアラビカ種の原産地はエチオピア(注3)の西南部の高原だ（古い呼び名でアビシニア高原と呼ばれていた）。

その周辺地域において、いつの時代からかは特定できないものの、初期のコーヒーノキの利用として、その葉や赤く小さいサクランボのような果実（果肉と種子）を生のまま食したり、あるいは煮出して飲んでいたようだ。

きっと、現地の人たちは、この植物の成分が人を元気にする何らかの機能を持ち合わせていることを経験的に知っていたに違いない。

森の中の自生植物の有効活用として自然に始まったコーヒーノキの利用は、さして広まることもなく、エチオピアの山中でひっそりと続けられた。

いっぽうで、現在のコーヒーにつながる「コーヒー」を発明したのはエチオピアではなく、アフリカ大陸と紅海を挟んで対岸に位置しているアラビア半島の最南端のイエメン（注4）だった。

その地こそが、コーヒーノキの種子だけを取り出して、炒りこんで、砕いて、粉にして、煮出して作る、現在につながるコーヒー飲料の生誕の地なのだ。記録のないエチオピアと違って、イエメンのコーヒー飲用の起源は十五世紀中頃のことだと、十六世紀にアラビア語で書かれた文献（注5）によって、特定できている。

ニコ、きみのコーヒーをめぐる冒険みたいに、なんだかめんどうくさい話だろう？　それに、時期は特定できても、イエメンでのコーヒー飲用の発祥の物語は、ちょっと複雑で説明するのに骨が折れるんだ。

そんなことをぼくが語っている間、ニコはどんな表情をしているんだろうか。起源なんてどうでもいいから、早くコーヒーをちょうだい、と言うかな。でも、自分が飲みたくて仕方ない飲料の起源を知ることは、それなりに興味があるんじゃないのかな。

イエメンで、現在につながるコーヒー飲用が発明された十五世紀、ニコの住むベルリンの住人たちは、この人類の大発明を知る由もなかっただろう。

いや、ベルリンだけではなく、世界中の人たちが、イエメンでひっそりと飲まれ始めたコーヒーが、その後数百年のうちに世界中を巻き込んで、大量生産と消費が繰り広げられる世界的な飲料になるなんて、夢にも思わなかったのだ。

時代は下って一八七一年には、プロイセン国王ヴィルヘルム一世を皇帝と戴くドイツ帝国が成立し、ベルリン(注6)はその首都となる。そして、この時期、ロンドン、アムステルダムをしのいで、ドイツの港町ハンブルクが国際的なコーヒー輸入の一大拠点として台頭してくる。植民地にコーヒー生産国を持たなかったドイツにも、コーヒーの時代がやって来たのだ。

それから二回の世界大戦がベルリンを襲い、第二次世界大戦後の東西ドイツ分裂から、ベルリンの壁崩壊に至るまで、さまざまな歴史の物語がこの街に堆積することになる。

その街で、運から見放された青年ニコの、コーヒーにありつけない物語はまだまだ続く。

ニコが飲みたがっているコーヒー。

なくても別に困らないけど知ってしまった以上、もうそれなしではやっていけないコーヒー。そのコーヒーのふたつの故郷であるエチオピアとイエメンの話の続きをしてもいいかな、ニコ。

エチオピアとイエメン。

このふたつの国は、古代より「交流」のある地であった。紅海を挟んでアフリカ大陸とアラビア半島が最も近づいている箇所があって、その距離はわずか二十七キロ。距離的に近いこのふたつの地域は、古代から浅からぬ縁で結ばれていた。

エチオピア北部に紀元前後から生まれたアクスム王国。その領土は、現在のエリトリア、イエメンも含んでいた。この王国は、前五世紀頃、アラビア半島からエチオピアに渡来した集団によって、アフリカの先住民文化の上に築かれたとも言われている。

四世紀にはコプト派(注7)のキリスト教を受け入れたが、七世紀にイスラームがアラビア半島に起こると、王国はメッカでの布教を一時期諦めた預言者、ムハンマドと信者たちをかくまったという史実(注8)があり、ムスリム(イスラームの信者)たちとは友好関係にあったという。その後結果的に、イスラーム勢力が力をつけてからも、アクスム王国への侵攻はなく、この地がイスラーム化されることもなかった。

旧約聖書の「列王記」に古代イスラエルのソロモン王をシバの女王が訪ねたという伝説(注9)が紹介されている。聖書にはシバの王国の場所の記述がなく、エチオピア(アクスム王国)かイエメン(サバ王国)ではないかと言われている。いずれにしても、エチオピアとイエメンとは古代から交流があった。ただし、友好的な交流ばかりではなかった。エチオピアの西南部の現地人をアラビア商人たちは奴隷として売買し、イエメンで働かせた歴史もある。戦争、支配、商売、あるいは宗教的な弾圧と亡命など、ふたつのコーヒーの故郷の人たちは、さまざまな立場で「交流」を深めていったのだ。

コーヒーの原産地であるエチオピアは、四世紀にアフリカで最初のキリスト教国になった。いっぽう、七世紀以降はイエメンを含めてアラビア半島の紅海沿岸部はすべてイスラームの地となっていた。十五世紀以降、焙煎した種子をコーヒーとして飲み始めた頃のイエメンは、すでにイスラーム化していたということだ。

ふうん、って顔をしているニコ。

ぼくの話を聞いているのか聞いていないのか。なかなかコーヒーにありつけない彼にとって、この話は退屈なのかな。

エチオピア起源のアラビカ種のコーヒーノキは、海抜一、〇〇〇mから二、〇〇〇mを超える高地に自生していた植物だ。コーヒーノキ属の植物は百二十五種を越えてあるのだが、のちのコーヒー飲料に使用されるのは、このアラビカ種、カネフォーラ（ロブスタ）種、リベリカ種の三種のみで、十九世紀後半までは、アラビカ種だけがコーヒーとして利用されていた。というのも、カネフォーラ種とリベリカ種は、十九世紀後半に発生した「さび病」[注10]の蔓延によって、この伝染病に耐性のある品種を探す過程で発見されたのだ。

さて、人類揺籃（ようらん）の地であるアフリカで生まれたコーヒーノキだが、七万年前にアフリカからユーラシア大陸にホモ・サピエンスが移動を始めたときにも、一、〇〇〇m以上の山中に自生していたコーヒーノキは取り残され、ほかの大陸に伝播することはなかった。

現生人類が世界中に分散して定住するようになって、途方もない時が流れた十五世紀の半ば。イエメンでは、アラビア語由来の「カフワ」という名の、黒くて苦い飲料が登場した。「カフワ」とは、もともとアラビア語では、果実酒や覚醒作用を持つドラッグのようなもの全般を指す言葉だった。

もともと、「カフワ」の代表的なものに、熱帯高地に自生する「カート」、和名で「アラビアチャノキ」と呼ばれる常緑樹の葉があった。カートはエジプトから南アフリカの高地林にかけて自生していた。この植物の葉には、興奮性の物質であるカチノンおよびカチンが含まれていて、嗜好品として新芽の葉を噛むことで、多幸感や高揚感が得られることをエチオピア人たちは知っていた。このカートがコーヒーに先駆けてイエメンでも栽培され、利用されていた。

ちなみにカートは、いまでもイエメンで栽培され、現地では嗜好品として愛用されている。枝ごと手に持って、その新芽を口で噛みながらそのエキスを飲み込み、新芽を全部噛み終えたら、枝まで噛むそうだ。

一〇〇〇年代のある時期に、コーヒーも、「カフワ」の一種としてエチオピア西南部からイエメンに伝えられた。ただし、その時点でのコーヒーはエチオピア流で、葉や果実をまるごと茶のように煎じたものだった。コーヒーノキは、そうやってイエメンの高地に移植され、「カフワ」としてこれを利用したいと思った人たちによって栽培され始めた。それがイエメンでのコーヒーの始まりだった。

さて、カートもコーヒーも同じく「カフワ」としてイエメンの人たちに愛用されたが、カートが新鮮な葉でないとその効能が期待できないのに対して、コーヒーの果実は乾燥すれば日持ちがし、なおかつ、その効能（カフェインによる作用）が持続することで、イエメンの高地だけではなく、古代から交易の町として栄えていたアデンのような港町でも飲用できるものとして重宝された。

その愛好者こそが、イスラームのなかでも神秘主義者と呼ばれたスーフィー(注11)たちだった。イスラーム圏に広く点在していたスーフィーたちが、イエメンにおいてコーヒーを飲み始めたのだった。

この時点では、コーヒーの栽培と飲用の現場は限りなく近かったに違いない。栽培する人と利用する人が同一の、自分たちの生活領域のすぐそばで、いわば裏庭で栽培している状態だったただろう。つまり、誕生したてのコーヒーは、ワインと同様に、作る人がそれを楽しむ人だったのだ。

その後、コーヒーは、自分たちは飲まないが、遠くの見知らぬ国の消費者のために、外貨を稼ぐために作らされる「商品」になっていったのだ。


ニコ、このことはきちんと記憶しておいた方がいいはずだ。なぜならば、その後のコーヒー栽培の歴史を考えると、ヨーロッパ諸国が世界中の熱帯地域のコーヒー・プランテーションに対して、地元の昔からの食文化を破壊する形でモノカルチャーとしてのコーヒーを押し付け、コーヒー農園を展開していったことと、対照をなしているのだから。

ニコの住むベルリンから三百キロほど離れたドイツ最大の貿易港のあるハンブルクにも、大量のコーヒー豆が世界中から輸入されているだろう。

スーフィーたちは、教団組織を持たないイスラームのなかにあって、珍しく指導者のもとに集って修行した。彼らは極度の禁欲を求めていた。スーフィーにとって食欲、性欲、そしてとりわけ睡眠の欲望を抑え込むことは重要なテーマだったのだ。

彼らは夜を徹して神を讃える祈祷「ズィクル」(注12)を続けるために、眠りを遠ざけてくれる「機能性」を具備したコーヒーを欲した。彼らにとってコーヒーは、まさに天からの贈り物だったに違いない。

新鮮なカートが手に入りにくい平地のスーフィーにとっては、乾燥すれば保存ができるコーヒーは、うってつけだったのだ。

そもそも初期段階の「カフワ」として登場したコーヒーには、二種類の飲み方が存在していた。そのいずれもが、今のコーヒーとは違っていた。

ひとつは、乾燥させた果実から種子だけを除き、果皮、果肉、種子のまわりの硬くて薄い殻(パーチメント)などが一体となった部分(種無し乾燥果実)を煮出したもので、「キシル(殻)のカフワ・キシリーヤ」(注13)と呼ばれていた。このキシルにはショウガやシナモン、カルダモンなどさまざまな香辛料が混ぜられ、エキゾチックな香りを振りまいていただろう。

そしてもうひとつが、種子も入ったままの果実をまるごと炙って煮出したもの。こちらは「ブン（コーヒーの果実）のカフワ・ブンニーヤ」と呼ばれていた。どうやら、このブンが進化して、種子のまわりの果肉やら硬い殻を除いて、なかに包まれた双子の種子だけを炒って、砕いて、粉にして、煎じて飲む、現在のコーヒーにつながる飲料になっていったと推測できる。

いずれにしても、乾燥させた種子を黒褐色まで炒り込んで得られる苦い飲料が、スーフィーたちの求める機能性（夜を眠らないで過ごせる）に合致して、浸透していった、と言えるだろう。

スーフィーたちは、栽培から種子の精製（果皮や果肉、殻をはずしてコーヒー豆を精製する作業）、焙煎、粉砕、抽出（煎じていく）までを行った。コーヒーの種子は生豆のまま煎じるよりも、炒ることでカフェイン量が増え、より強い覚醒効果が得られることに誰かが気づいたのかもしれない。

やがて、コーヒーをズィクルの前に飲むことは、スーフィーたちにとって必要不可欠な行為＝儀式となった。それが一四五〇年頃のことだったと、のちの文献で明らかになっている。

3　眠りたくない夜のために

スーフィーがコーヒーに求めていた機能性とは、もしかしたらニコやぼくがコーヒーに求めるものと同じだったかもしれない。

目覚めてもベッドから出たくない、けれども起きなければならない朝に。ランチのあとの、眠たくなるが仕事をしなければいけない午後に。今日中に徹夜してでも仕上げなくてはいけない原稿がある夜に。

ぜひとも必要なものとしてのコーヒー。あるいはカフェイン。

眠りたくない夜と、眠ってはいけない昼がコーヒーを求めたのだろう。現代人にとっては、世界ではじめて葡萄の栽培に成功した「ノアの方舟」のノア（注14）のように、ワインをさんざん飲んで全裸で寝るわけにはいかないからね。

スーフィーたちの話を続けよう。

アルコールが禁じられているイスラーム社会のなかでは、酒の代替品ともいえる嗜好品のカートのような「カフワ」が愛好されていたわけだ。カートはその新芽を直接、口に含んで噛んでいると覚醒成分が抽出されるという、いたって簡便な嗜好品でもある。

いっぽう、新参のコーヒーを口にするには、果実を摘んで、果皮、果肉などを取り除く精製プロセスを経て、種子だけを取り出し、さらに炒って、砕いて粉にして、煎じるというめんどうなプロセスを経る必要がある。


現在につながるコーヒー飲用文化の故郷であるイエメンは、海からちょっと内陸に向かうといきなり三、〇〇〇mを越える山岳地帯が広がり、緑に恵まれ、古代から農耕が盛んな地であり、コーヒーにとっても栽培適地だった。

また、イエメンは高価な香料、「乳香」の名産地でもあり、かつてインド洋交易で栄えた港町アデンを擁し、古代ギリシア、ローマの人たちからは憧れをこめて「幸福のアラビア」(注15)と呼ばれていた。

そして、十五世紀以降に新しく「発明された」コーヒーが数世紀に渡ってヨーロッパ人たちを魅了し、ふたたび古代の「幸福のアラビア」を香らせることになったのだ。

ニコ、眠っちゃだめだよ。ここからが本題なんだから。

コーヒー前史として、キシル（乾燥させた果皮、果肉、殻だけを煮出したもの）とブン（種子の入った果実まるごとを煮出したもの）があったことは、わかったね。そのキシルもブンも、最初に飲み始めたのは、イエメンのスーフィーたちだった。

推測するに、山中にいたスーフィーたちよりも、山からは遠いアデンみたいな港町周辺に居たスーフィーたちにとって、鮮度が落ちて効能が薄れてしまうカートよりも、乾燥したコーヒーの実は日持ちがするので、ありがたかったことだろう。


ニコ、初期のコーヒーの景色は、きっとこんなふうだったんだよ。

満天の星空の下、気長に鍋のなかで焙煎されるコーヒー豆。焼かれて色づいた豆から煙がうっすらとたちあがり夜の闇に吸い込まれ、雲のようになって消える。その周りをとり囲む男たちが息をこらしている。

焼きあがったコーヒー豆は、石臼で搗き砕かれて粉になっていく。その粉を水につけて熾火のなかでじっくりと煎じていく。ゆっくりと、ゆっくりと、コーヒーのエキスが水に溶け出し、墨色の液体となっていく。ひたすらかき混ぜていくと、表面に細かい泡がたち、濃厚なコーヒーの抽出液ができあがっていく。

そうやってできたコーヒーを、大きめの器に入れて、まわし飲みする男たち。まるで、茶道の濃茶のセレモニーのように。

男たちの影が闇のなかで揺れる。

指導者の唱導のもと、唯一神アッラーを讃える祈祷が始まる。いつ終わるともなく続く祈祷。あたりにはコーヒーの香りが漂っている。

いまから五百年も昔のイエメンの地で、こんな夜の一部始終が、人類にとっての最初のコーヒーの場面として、つまりカフェなるものの誕生の場面として、あったんだ、ニコ。


十五世紀後半のイエメンに暮らしていたスーフィーたちは、キリスト教における修道士とは違って、世俗の生活と往還しながら修行を続けていた。そのおかげでコーヒー飲用の習慣は、宗教的なセクトのなかにとどまることなく、比較的早い段階で一般の生活者にも浸透していった。やがて、この新種の飲料は、街場のなかで、宗教行為とは離れて広まっていった。

コーヒーの魅力は、宗教的な修行の「薬効」的な場所にとじ込められることなく、お酒にも負けないくらいの魅力的な嗜好飲料として、スーフィーたちだけでなくその知り合いからも、徐々に伝わっていったことだろう。

それから十六世紀の半ばまでの約百年。

コーヒー飲用の文化は、イエメンから出発してイスラーム圏の中心地であるメッカ、メディナへと伝わることになる。同時にそれは、コーヒーを栽培・精製する一次生産者と、それを消費する人との距離が少しずつだが、離れ始めることを意味していた。そしてその距離をつないで商売にするアラビアの商人たちが活躍し始める。

やがてコーヒーはエジプトのカイロから東地中海沿岸地域に広まり、シリアを経由して、オスマン帝国の都、イスタンブールへと伝わっていった。この約百年間のコーヒーの旅を担ったのが、カイロや東地中海沿岸地域のやり手の商人たちだった。

彼らは、ヨーロッパが大航海時代に突入したせいで、すっかり下火になってしまった香辛料貿易(注16)の代わりに、当時、イエメンでしか生産できなかったコーヒー交易に目をつけ、これを独占的に扱うことにした。遠隔地の珍しい産物とその飲用文化がセットになって、コーヒーというまったく新しい「商品」が、人類史のなかに登場したわけだ。

コーヒーは新しいものとして一般市民に受け入れられるいっぽうで、胡散臭いものでもあり、イスラーム圏のなかで嫌疑をかけられた。一五一一年に象徴的な事件がメッカで起きたのだ。それが有名なコーヒー弾圧事件だ。

一五八七年の『コーヒーの合法性に関する潔白』によれば、事件はメッカ駐在のマムルーク朝（注17）の高官、ハーイル・ベグ・アルミーマールが、メッカのモスクの周辺で、夜中に怪しげな集団が何か酒のようなものをまわし飲みしている現場を目撃することで発覚した。彼は自分が目撃したものが、メッカでも噂を聞くようになっていた、いかがわしい飲料のコーヒーに違いないとにらんだ。

コーヒーは、禁制品を闇で売っているような居酒屋でも頻繁に飲まれているという噂もあった。槍玉に挙がった理由は、イスラームで禁止されたアルコールと同様に酩酊をもたらす飲物ではないかという嫌疑によるものだった。

しかし、コーヒーとアルコールは、その生理作用において、覚醒と酩酊という真逆の効果を持つのは自明のことで、結局この言いがかり的な告発は却下され、コーヒー擁護派の勝利に終わるのだが、その後も繰り返し権力者側からのコーヒー弾圧は続いた。

実は、当局はコーヒーを飲むという名目で夜な夜な男たちが町中でたむろする行為そのものが持っている、ある種の反宗教的な、反体制的な気配に過敏に反応したのだった。

もうひとつ、コーヒーには厄介なことがあった。それは、コーヒーを意味するアラビア語の「カフワ」には、もともと果実で作られた酒という意味もあったからだ。

こうして、イスラーム圏ではコーヒー禁止令がたびたび出され、怪しげな雰囲気を漂わせながらも、街場で人が集って一緒にコーヒーを飲むカフェ的な空間は、中東イスラーム社会のなかでお墨付きを得ながら定着していった。ときはオスマン帝国が最盛期を迎えた十六世紀のことだ。

4 「カフェ的」なるものの誕生

イスタンブールの「コーヒーの家」

いずれにしても、イスラーム圏域におけるコーヒーの旅は、イエメンの山中で飲まれていたスーフィーのコーヒーから出発して、遠くオスマン帝国の首都イスタンブール(注18)のハーレムに、幾人もの召使にかしずかれて優雅に飲まれる神秘的な飲料というところまでたどり着くことになる。

その旅の第一段階、一五五四年、オスマン帝国の首都イスタンブールにふたりのシリア出身者によって最初の「コーヒーの家」が作られた。

ラルフ・S・ハトックスの『コーヒーとコーヒーハウス——中世中東における社交飲料の起源』(注19)によると、中世の中東社会には外食文化というものがなかったので、当初、「コーヒーの家」(コーヒーハウス)の形態は、中東地域にあった居酒屋をモデルにしたのだという。

イスラーム社会では、葡萄酒を含めたアルコールを飲むキリスト教徒も暮らしていた。また、異教徒の旅行者も大勢いたので、そうした者を対象にした居酒屋が多数、存在していた。もちろん、客のなかには「禁」を犯して出入りしていたムスリムもまぎれていたかもしれないが。

もっとも「コーヒーの家」が出現する以前に、イスタンブールの街なかでは、コーヒーを路上で歩き売りする商売があったようだ。しかし、居酒屋のような「コーヒーの家」が流行し始めると、コーヒーの歩き売りは廃業に追い込まれていった。つまり、人はただコーヒーを飲むためにだけではなく、そこで仲間と会い、夜を過ごしたい、娯楽に興じたいために、「コーヒーの家」に出かけるようになり、入りびたる人間も現れた。

コーヒーの家は、イスタンブールのような都市の住人にとって、とにかく外出したいという、やむにやまれぬ衝動の明らかな口実の受け皿になっていった。そして、居酒屋風の粗末な内装のコーヒーの家だけではなく、豪華なものも登場するようになる。

それはコーヒーという飲料そのものが社会的に認知され、ステータスが上がっていったことを意味している。

ちなみに、トルコ語で「コーヒーの家」のことは、「カーヴェ・ハーネ」というが、「カーヴェ」はコーヒーのこと、「ハーネ」は旅の商人宿、宿屋、居酒屋といったものを意味していた。つまり、名前からして、「居酒屋」だったのだから、当局が、常に目を光らせたくなるわけがわかる。

だんだん豪華になっていく「コーヒーの家」には、涼しさを演出するための噴水があり、ゆったりと座って寛げるクッションが用意してあった。また、チェスやバックギャモンなどのゲームも置いてあった。これらは、イスラーム社会では厳しく禁止されている賭博にもつながる可能性のある、危険な遊びだ。こうしたことも、「コーヒーの家」が摘発を受けた原因のひとつと言われている。

さらに、「コーヒーの家」のなかには他店と差別化するために、音楽家による演奏や人形劇、踊り子や手品師などを出演させるという店もあった。とくにラマダーンの期間中には、粗末なコーヒーの家でも、日没後、娯楽のために弾き語りの語り部が民話や騎士物語などを聞かせて大いに賑わったようだ。

こうして、粗末な居酒屋風から、豪華な宮殿風まで、「コーヒーの家」は、中世の中東社会のなかで、社交と娯楽の殿堂のような様相を呈していった。

十六世紀の半ばも過ぎると、いよいよコーヒーを飲む場所はすでに、現世否定的で非社交的なスーフィーたちのコーヒーから、遠くのものになってしまっていた。

初期コーヒーには、百年以上に渡る宗教者のストイックなイメージから、世俗的で富裕な者の贅沢なイメージまでが付与されたことになる。

富裕層まで浸透した絢爛豪華な「コーヒーの家」の文化は、ヴェネツィアを始めとするイタリア諸都市、フランス、イギリス、そしてオランダやハプスブルク王朝下のウィーンなどに伝播されることになる。

そのときのヨーロッパ人から見えたコーヒー像は、おそらく権勢を誇るオスマン帝国の国力に見合うだけの、豊かで、神秘的な飲料のイメージであって、イエメンのスーフィーたちの禁欲的なコーヒー像ではなかっただろう。

ちなみに、イスラーム圏の「コーヒーの家」は、基本的に男たちのための溜まり場だった。では、十六世紀のイスタンブールの女たちはコーヒーを飲まなかったのかと言えばそうではなかった。

『成熟のイスラーム社会』（永田雄三、羽田正／中央公論社／一九九八年）によると、女性たちは、家庭で親類、隣人、友人たちを招いてコーヒーを飲んでいたようだ。外には、「ハマーム」という女性専用の社交場があった。入浴もでき、日がな一日、そこで飲み食いをした。ハマームで欠かせない飲み物がコーヒーであった。とくに祝い事があるときなど、ハマームに楽師や踊り子を呼ぶことがあったようで、女性専用のコーヒーハウスと呼べるものだった。

十六世紀を通してイスラーム圏で定着したコーヒーは、旅行者（冒険家というべきかもしれないが）や商人たちによって、徐々にヨーロッパでもその存在が知られるようになり、十七世紀にもなると、北西ヨーロッパの主要都市で飲まれるようになる。もちろん、ニコの住むドイツにもコーヒー飲用の習慣は定着していった。

コーヒー飲用そのものになじみのない地域では、まずは街角で沸かしたてのコーヒーを売り歩くコーヒー行商人が活躍した。初期段階では、黒く焙煎された豆だけを販売しても売れないので、目の前で抽出してみせる実演販売が路上で行われた。やがてそこから派生するように、コーヒースタンドや簡易なカフェ形式のもの、さらにはその豪華版としてのコーヒーハウスというものが段階を踏んで誕生していった。

パリの初期カフェ

パリの場合を見てみよう。

十七世紀後半、パリ最初のコーヒー店はアルメニア人の商人パスカルによって、サン＝ジェルマンの定期市で営業されたと言われている。定期市にあわせた出店で、仮設の簡易なものだった。そしてほぼ同時期に、この店に似たオリエント風のコーヒー店がパリのあちこちに登場し始めた。

中東地域と同様に、パスカルの店にさきがけて路上で、ポットで沸かしたてのコーヒーを売り歩く者も現れている。しかしながら、いずれの店も商売上の成功を収めることはたいしてできなかったようだ。

十七世紀もいよいよ終わる頃、パリに元祖カフェと呼べる「カフェ・ド・プロコプ」が開業する。

パリの社交の場と言えば、閉鎖的な貴族のサロンか、キャバレ、タヴェルヌといった酒場しかなかった時代、「プロコプ」は上流の知的層を取り込むことに成功した。以後、この「プロコプ」のスタイルが、パリのカフェのプロトタイプとなり、パリでの上流層の社交のスタイルそのものを変えることになった。

「プロコプ」はそれまでのイメージとして定番だったオリエント風を脱して、上流階級が好みそうな豪華な内装によって、知的な雰囲気を醸し出した。それまでヨーロッパで存在しなかったノンアルコール飲料を中心に据えた社交、交流の場としてのカフェが誕生したのだ。

十八世紀に入ると西欧社会は、急速に変化する啓蒙主義運動や産業革命の時代に突入する。「プロコプ」には、上流階級を中心にいろいろな人々が通うようになる。サン=ジェルマンの「プロコプ」の近くにはコメディー・フランセーズの劇場があって、著名な役者、劇作家、音楽家たちが常連になった。常連客のなかには啓蒙主義を代表する哲学者のヴォルテール(注20)も含まれていた。フランス革命時にはマラー、ロベスピエール、ダントンといった政治家やジャーナリストたちが激論を闘わせていた。

フランス革命後も、パリには伝説的なカフェが多数、生まれた。コーヒー一杯のお金さえ支払えば、どんな身分の者でも自由に出入りできるカフェは、最先端の文学、芸術、思想を受信しながら、同時に発信する場ともなった。

さらに、十九世紀末から二十世紀初頭にかけての古き良き時代のパリ(注21)は、カフェも活況を呈し、世界中から集まった若い才能たちが、狭い下宿を抜け出してカフェに入り浸っていた。モディリアニやフジタ、ヘミングウェイにフィッツジェラルドも。ロシアからレーニンやトロツキーなども集った。

画家も詩人も作家もジャーナリストも、そして二十世紀の革命家たちをも惹きつけてやまない魅力が当時のパリのカフェにはあったのだ。

ニコも観たかもしれないけど、このあたりの雰囲気は、ウディ・アレンのパリの古き良き時代にタイムリスップする映画『ミッドナイト・イン・パリ』(二〇一一年)に魅力的に描かれていたね。

啓蒙時代（注22）の十八世紀から始まって、ヨーロッパの近代市民社会が誕生するまでのコーヒーやカフェの役割は大きかった。さらに二十世紀に向かう数百年、コーヒーの栄光は続く。近代以降、西欧が世界の「覇者」となり、近代国家というものが整備され、資本主義経済システムが完成していくという時代とコーヒーは、まさに随伴したのだった。

十六世紀、カイロの商人によってほぼ独占的に取引されていたコーヒーは、十七世紀以降、ヨーロッパ全域に供給され、ビジネスとしても隆盛を極めるようになる。ところがヨーロッパで膨れ上がるコーヒー消費の拡大に応えるべく、オランダ、フランス、イギリスなども、自らコーヒー栽培に着手し始めたのだった。

それにより、十七世紀中盤から十八世紀にかけて、セイロン、ジャワ、カリブ海の島々、中南米とコーヒー・プランテーションが開発されていった。

作る人が飲む人であった初期のコーヒーは、イスラーム圏で広く知られるようになり、「裏庭のコーヒー」時代を卒業し、交易商品となり、さらにヨーロッパ人たちの手によって地球を一周する形で、コーヒー産地が広がる「植民地のコーヒー」時代に突入していくことになる。

中南米のコーヒー農園で働かされるために、西アフリカの奴隷たちは大西洋を渡って新大陸へ連れて行かれ、新しいコーヒー生産地にされた地域では、元々あった土着の農耕文化が破壊され、いまに続く南北間の経済格差の構造ができあがっていった。

奴隷制度はなくなっても、地球の「北」の先進国と「南」の発展途上国における経済格差は、残念ながら固定されてしまい、いまだに解消しているとは言い難い状況だ。

世界経済の国際分業化が広まり、農業国や工業国への分化が進んだ結果、特にアフリカ大陸においては、西欧列強による領土分割によって、ほぼ強制的に資源の供給国としての役割を長らく担わされた。

第二次世界大戦終結から間もない頃は、農業によって経済を成り立たせている国も多く、そういった国の所得水準は工業国に比べ、際立って低いわけではなかった。むしろ、商品作物の輸出などにより高い所得水準を実現している国もあった。

ところが、一九四〇年代から一九六〇年代にかけて、高収量の品種の導入や化学肥料の大量投入という「緑の革命」の成果によって、穀物の大量増産が達成されるようになると、競争力のあるアメリカやフランスの農産業による輸出攻勢が始まり、結果的に農産品の国際的な相対価格は著しく低迷した。

こういったことも影響して、南北間での構造変革も容易にできず、長期間にわたって格差が固定化されることになってしまった。

国際商品であるコーヒーも、まさに南北間の経済格差の象徴なのだ。


ニコ、だから一杯のコーヒーは、あんなにも苦いんだよ。


コーヒーに限らず、圧倒的な格差を人類規模で考えたとき、かたや肥満の問題があり、かたや飢餓の問題があり、イスラーム諸国の政情不安、内戦、テロ、祖国から逃げ出す大量の難民など、いまなお、世界が抱えた問題は深刻だ。

大規模な資本投下と労働力の確保が、いまもコーヒーの一次生産の現場を圧迫している。ただし、森と共生しながらコーヒーを生産するエチオピアのフォレストコーヒーや、環境、労働、流通の問題と取り組みながら、消費者が生産者と連携、支援するような認証制度(注23)の動きなども広がりつつある。

現代において、コーヒーを通して世界を考えることの重要性はますます増していることだろう。地球に住むぼくたちの、持続可能な世界を実現するために、コーヒーから見えてくる世界という視点はぜひとも必要だ。

だから、ニコ。

コーヒーの故郷であるイスラーム圏への理解と、異文化間の理性的な共生の道を探るために、コーヒーがぼくたちに対話と叡智をもたらしてくれたら、と願わずにはいられないよ。

5　日本でのコーヒー文化の進化

西欧化と日本のコーヒー受容

ニコは極東の日本という国に興味を持ったことはあるかな。アニメーションの聖地としてなら日本のことを知っているかな。

現在に続くコーヒーが発明された十五世紀、日本では、中国から渡来した喫茶の文化が磨きあげられて、「茶の湯」として洗練されていった時期にあたるんだ。中東の主要都市に大小千を越えるコーヒーハウスが誕生した十六世紀後半は、千利休が信長、そして秀吉に仕えて茶を点てていた時代なんだ。

中東のコーヒーと極東の茶の湯の文化。

まったく異質のふたつの文化のなかで、「喫茶」が同時代性を持っていたのは興味深いことだ。

すでに見てきたように、起源のコーヒーはイスラームのスーフィーたちが夜を徹して行う宗教行為とともにあった。いっぽう、中国から渡来した茶は、栽培と飲用の習慣が日本に定着したのち、同じく中国から渡来した禅宗の精神性と結びつく形で、ミニマリズムの極地ともいうべき美学を獲得していった。

いずれにも共通している宗教性、精神性、そして覚醒する精神の先にある抑制のきいた高揚感（トリップ感覚）というものは、相似形をなすのではないか。

どう思う？　ぼくのこの推測。ニコはわかってくれるかな？

日本でのコーヒー導入期の明治維新、脱亜入欧、すなわちすべては西欧の価値観に転換しようという流れのなかで、コーヒーは西欧の輝かしい近代化の象徴、進歩的な飲料として、日本社会のなかにデビューした。

西欧化の文脈で始まった日本のコーヒー文化は、もともとあった茶を嗜む喫茶文化をOSにして、大正期には、西欧伝来のコーヒーというアプリケーションを日本風のアプリケーションに容易に書き換えることに成功したのではないだろうか。すなわち、大正期から昭和にかけて日本独自の「喫茶店」「珈琲専門店」文化を誕生させたのではないか。

日本にコーヒーが本格的にもたらされた時期、幕末から明治維新にかけては、どんな時代だったのか。

もともと圧倒的な中国文明の影響下にあった日本は、おそらく十七世紀以降、徳川軍事政権が二百六十年にも渡る幕藩体制を確立し、さらに鎖国政策と内戦のない平和な時代を作りあげたことで、日本独自の文化を構築していった。

さまざまな分野での日本文化の完成を見たのが江戸時代だった。その江戸時代の終焉と、開国後の近代西欧文明の受容の黎明期ともいえる明治維新で、法律、政治、経済、教育、医学から、衣食住といった生活文化、芸術、娯楽に至るありとあらゆる分野において西欧化が押し進められることになった。

このあたり、ドイツ人のニコには、ちょっとピンとこないかもしれないけれど。コーヒー自体は単なる西欧渡来の文物とは言えない側面を持っていた。なぜなら、コーヒーの発祥地はアフリカ・アラビアで、生産地も西欧ではなく、熱帯地域の中南米、東南アジア、インド、アフリカだったからだ。ただ、その生産地帯のほとんどが西欧列強の植民地であっただけで。

日本にコーヒー飲用文化を具体的に定着させるためには、西欧経由のカフェ文化（飲用文化）だけではなく、コーヒーの原料を輸入するために、直接、コーヒーの産地とつながる必要があった。ここが、お茶の文化の導入と決定的に違うところである。お茶は中国からの喫茶の文化を受容したときに、その栽培、生産の技術も移入することができたからだ。

コーヒーは、日本も西欧諸国と同様で、自国で生産できないものだった。近代化に着手したばかりの日本には、西欧諸国のようにコーヒー生産ができる植民地もなかった。そんな日本がコーヒー生産国と最初に関係を持つことができたのが、ブラジルだった。

一九〇八年（明治四十一年）から百年余りで約十三万の日本人が移住したブラジルは、世界で最も日系人が多い国だ。日本のコーヒー史では、「ブラジル移民事業」を手がけた人物として、実業家の水野龍（りょう）（1859〜1951）が知られている。

彼は明治四十一年のブラジル第一回移民の監督として、笠戸丸でブラジルに渡り、帰国後、ブラジル移民組合を組織した。当時、世界のコーヒー生産の五十％以上のシェアを持っていたブラジルは、奴隷解放によって農園の働き手を失い、労働力を海外に求めていたのだ。

いっぽう、当時の日本は人口増加による食糧不足と、日露戦争帰還兵の失業者問題を抱えていた。そこで、日本人のブラジル移民を計画したのが水野だった。

しかし、実際には、ブラジルに渡った日本人たちには、多くの苦難と忍耐の日々が待っていた。水野自身も、この移民事業によって多額の損失を抱えることになる。

そんな水野に対して、ブラジルのサンパウロ州政庁はブラジルのコーヒー豆を無償で提供することを申し出た。もっとも、ブラジル・コーヒーの日本での普及を依頼するという形ではあったが。

この申し出に応じた水野は政治家、大隈重信らの助けを借りて、明治四十三年にブラジルサンパウロ州政庁専属ブラジル珈琲発売所「カフェー・パウリスタ」を設立して、日本でのブラジル産コーヒーの普及に貢献した。

「カフェー・パウリスタ」は、一九一一年に銀座に一号店ができ、第一次世界大戦が勃発した頃には、上海も含めて二十二店舗を出店していた。この時期、日本のコーヒー文化は順調に成長を続ける。時代も明治から大正に変わり、西欧文化が大衆消費社会のなかにも浸透していった。まさに、日本の「ジャズ・エイジ」とも言える時代が、一九三〇年代前半まで続くことになる。

輸入先もブラジルだけではなく、東南アジアのジャワコーヒーの輸入も始まっていた。一九二二年に、ブラジルからの「カフェー・パウリスタ」への無償供与の期間が終わると、ジャワコーヒーの輸入量が大幅な伸びをみせて、翌年には最大の輸入先になった。

日本独自のハンド・ドリップ文化

もともと、コーヒーは手間暇かけて、一杯ずつ作られていた。それが、アラビア（トルコ風）のコーヒースタイルだ。

客の顔を見てから、豆を煎り、挽いて、ゆっくり煎じて飲むという、究極のスロー・スタイルの喫茶文化だ。

しかし、近代社会に向かって邁進する西欧社会では、大量消費に応えられるべく、より大量に、よりスピーディーに焙煎し、粉砕し、抽出できる器具や大掛かりな工場まで出現するようになる。とくに、日本でコーヒーが本格的に飲まれるようになった二十世紀初頭は、アメリカではコーヒーの大量生産が可能なシステムもできあがり、いよいよコーヒー産業の工業化が始まっていた。また、大型のホテル、飲食店では、いっぺんに百人以上の客に熱々のコーヒーを提供できる抽出マシーンも開発される。

まさに、アンチ・アラビアンスタイルと言うべきコーヒーが二十世紀のコーヒーの主流となった。

ところが、遅れて「近代国家」となった極東の日本では、西欧風のホテルで大量抽出できるドリップ・マシーンの導入が進んだのと並行して、街場のコーヒー店では、ネルドリップで抽出する古いスタイルが継承され、洗練されていった。ドリップ抽出自体はヨーロッパで発明されたものではあるが、それはいつのまにか、日本独特のスタイルに進化を果たしたと言える。

つまり、遅れてコーヒー文化の仲間入りを果たした極東のコーヒーが、世界の先端に何周も遅れながら、独自のスタイルを獲得して、起源のアラビアンスタイルのコーヒーに呼応するかのように、スローなコーヒーを誕生させたのである。

また第二次世界大戦後の日本では、大手コーヒー会社だけではなく、小型の焙煎機で焼き上げる個人店も数多く生き残り、抽出方法も機械に頼らず、手製のより小さなネルドリップを使って、比較的低温のお湯でゆっくりと、あきれるくらいゆっくりと点滴抽出して作る、とてつもなく濃厚でクリアな一杯の珈琲（と、漢字で書きたくなる）をも生むことになる。

そんな洗練の極みのような珈琲を入れる器も、伝統的な産地の有田焼の紙のように薄い磁器で供するなど、まさに茶の世界に拮抗するような美学に支えられた。これは、日本独自の珈琲への到達とも言えるのではないか。

このスタイルの名店を挙げるなら、ぼくなら、関口一郎の銀座「カフェ・ド・ランブル」、標交紀（しめぎゆきとし）の吉祥寺「もか」を選びたい。コーヒーという飲料をとことんまで究めた、コーヒーだけの店というのは、二十世紀後半、ベルリンにもパリにもニューヨークにも、つまり世界中どこの都市にもなかったスタイルだった。

このふたつの店はいずれも、店内に焙煎機を設置した自家焙煎のコーヒー店で、メニューは基本的にコーヒーのみ。ネル布を使ったハンド・ドリップで一杯ずつ丹念に抽出される濃厚なコーヒーを目がけて、全国からファンが詰めかけた。

「カフェ・ド・ランブル」の関口一郎（1914〜2018）が、店を東京・西銀座の裏路地で始めたのは一九四八年のことだ。当時、コーヒー一杯が百円と、銀座で一番高価だった。その後、一九七三年に銀座八丁目の裏通りに移転した。

この店で印象的だったメニューは、まず、持ち手のない円筒形の、猪口のように小さな器で出された超濃厚なコーヒーだ。器は薄手の有田焼で、オリジナルだった。そして、シャンパングラスに注がれて提供される「琥珀の女王」。これは、ほのかに甘みをつけた濃厚なコーヒーを急速冷却させ、そのうえに、混ざらないようにそっと生クリームを入れたものだ。

特製の厚手のネル布のドリップと、これまた特製の注ぎ口が鶴首になった赤いホーローのポットで、ぽたり、ぽたりと点滴抽出された濃厚なコーヒーの芳醇な一杯は、まさに琥珀（ランブル l'ambre）の輝きを持っていた。そんな独自のコーヒー世界を築き上げた関口一郎は二〇一八年に、百三歳の人生の幕を閉じた。

いっぽう、「もか」の標交紀（1940~2007）は、大阪の難波に店を持っていた襟立博保（1907-1975）をコーヒーの師と仰いだ。

標が、「もか」を東京・吉祥寺の井の頭公園そばに開業したのは一九六二年のことだ。まるで実験室で着るような白衣に身を包んだ従業員たちが、しずかな店内を影のように動く。そこで出された濃厚なコーヒーを寡黙に味わう客たちのたたずまいには、どこか、イエメンのスーフィーたちの面影が重なる。

コーヒー研究家の井上誠がその最晩年に、「もか」に通っていた。その井上誠の追悼文を『月刊喫茶店経営』に書くにあたって、ぼくが標を取材に行ったのは、一九八五年だった。

コーヒー一筋に打ち込んできた標は、妻の強いすすめもあって、一九七六年からヨーロッパや中東を歴訪し、コーヒー文化を訪ね歩く旅を始めた。その旅で買い集めたコーヒー器具のコレクションで、日本有数の収集家としても名を知られた。彼のコレクションは、二〇一七年、国立民族学博物館の開館四十周年記念で「標交紀の咖啡の世界」展と題して公開されたことがある。

関口一郎と標交紀。ふたりは、親子以上に歳も離れていて、関口がパイプや釣り、アーチェリーといった幅広い趣味を持ったエピキュリアンだったのに対して、標はストイックな、息も詰まりそうなくらいに、コーヒー一筋の求道者タイプだった。

一九七〇年代、「カフェ・ド・ランブル」や「もか」のような突出したコーヒー専門の店だけではなく、より大衆的な、ランチタイムもあるような日本の喫茶店は隆盛を極めていた。

しかし、バブル経済からその崩壊にいたる八十年代から九十年代になると、異常な土地の高騰ゲームに翻弄される形で、喫茶店は町から急速に姿を消し、衰退の一途をたどることになる。

いっぽうで、日本のコーヒー消費量は、新しい飲用スタイルを出現させながら拡大し続けた。新しいコーヒーの典型が、日本中いたる所に設置された自動販売機の工業化された缶コーヒーや、コンビニエンスストアで売られるさまざまなタイプのコーヒー飲料だった。

コンビニの店頭でたむろしてコーヒーを飲む若者たちのペットボトルのコーヒー。早朝の工事現場の人たちの缶コーヒー。深夜の高速のサービスエリアで休憩する長距離トラックの運転手たちを温めた自販機のコーヒー。

そして、十五世紀半ばのスーフィーたちがズィクルの前に飲んだコーヒー。あるいは、二十世紀初頭のベルエポックのパリのコーヒー。

これら、さまざまな場所に置かれた一杯のコーヒーの数百年の旅には、孤独と社交、交流の風が吹いたことだろう。

6　手のひらの時代のコーヒー

いまは手のひらに、リアルなこと以外のすべてが入ってしまう時代だ。通勤電車のなかで、駅のホームで、舗道で、喫茶店で、レストランで、職場で、学校で、みんながみんな、自分の手のひらのなかで青く光る文字やビジュアル情報を飽きることなく眺め、ときどき親指を器用に使って、いろんな情報を引き出す。

ぼくたちはそんな時代を生きている。

人類が垂れ流しているデジタル情報の一日あたりの総量をＵＳＢメモリに書き込んで積み上げていくと、地球から月のちょっと手前まで届く量になるそうだ。そうやって、毎日毎日更新されていく膨大な情報のすべてが、手のひらに納まっているみたいな感覚を、スマートフォンはもたらしている。

手のひらのなかにすべてがある。

リアルなこと以外のすべてが。
まさにそんな二十一世紀、人が顔と顔をつきあわすことのできる、確かなリアルに出会うことのできる場所として、カフェがふたたび世界各地で静かなブームとなって、ぼくたちの街に帰って来ていることが嬉しい。
恋人同士、友達同士、せっかく同じテーブルを囲みながら、お互いがお互いの手のひらのなかの世界と交信していても、それでも彼らの前に置かれたコーヒーは、リアルなものとして、人類の文明の光と影をひきずりながら、陰影のある、苦みのきいた飲料として存在している。

さあ、ニコ。
ベルリンの街で、夜明けのコーヒーを一緒に飲もう。
そして、ここまでを読んでくれたあなたとも一緒に、
一杯のコーヒーを。

やっかいなことがいつまでも終わらないこの世界にあって、あの「幸福なアラビア」の香りが、この世界のいたるところに、ふたたび漂うことを祈りながら、ぼくの詩をここに置いて、

第1章をお開きとさせていただこう。

ファニーな十月を

手のひらを
眺めながら大学通りを歩く
リアル以外のすべてが
手のひらの中で
青く育っている

ブレンドされたニュースとおおげさな噂話
終わりのないゴシップ

みんなの食事
拡散していく井戸端会議
悲劇と喜劇が序列を失って
青く育っている

皺だらけの地図をひろげて
赤い線をひく
大海原を越えてやってきた
ぼくたちは
珈琲を飲むための
数百年の大冒険を経験した

ほんとうは苦いだけの
人生に
希望のようにロケットを打ち上げて

雲を砕き
それから
街角でカップを高く掲げた

いくつもの靴と鞄を
つぶして
途方もない距離を移動した
集合と離散
闘争と和合を繰り返し
大陸を渡り歩いた

森に消えた一群
海岸線を南に下った一群
海峡を渡って太陽の昇る方角に向かった一群も
大海原を囲む大きな環になる

遺伝子だけが知っている
生命の時間
無数の秋が
地上にやって来て
この町に定住を始めたぼくたち

ケヤキの梢の上で鳥になって
思いっきり唄ってみたい
女子高生たちがはしゃいでいる
靴ひもを結び直して
駆け出したやんちゃどもを避けながら
お喋りをするカップルが
こっそりと左の手のひらの世界を観測する

死んだひとも

生きているひとも
やあ、と手をあげて
お互い挨拶をしているみたいに

鳥たちが
啄んだ実が伝説になって
夜の紅海を越えた
長い物語を書き上げた午後に
新聞を広げる
大学通りのカフェで
珈琲を一杯
失われたアラビアの幸福に耳を澄ます
見捨てられた裏路地
花火のような小花が散っている
(『さかまく髪のライオンになって』小山伸二/書肆梓に収録)

この章は、『Discover Japan』二〇一五年十一月号に寄稿した「コーヒー文化論」を大幅に加筆・修正したものです。

第２章　ソクラテスのカフェ

1　哲学カフェ

一九九二年のある日曜日。

パリのバスチーユ広場の一角にある「カフェ・デ・ファール（灯台のカフェ）」に集まった無名のソクラテスたちが、切実な問いかけを提供し、それに対して誰かが意見を言い、誰かが反論するという哲学的な議論の場を創出していた。

科学技術の発達、高度資本主義経済の進行、共産圏の崩壊、自由主義経済圏の全面的勝利、民族問題、国際的にも地域的にも偏在する富、圧倒的な非対称の経済状況が二十世紀末にある飽和点を示しているときに。

あらためて必要とされるものとしての哲学が、遠く古代ギリシアから伝承されてきた学問の実践が、人類がさまざまな難問に直面しているこの時代にこそ、渇望され、注目されている。

コーヒーを媒介にして成立するパブリックな場であるカフェが、哲学する場として、不特定の複数者が議論する場として、選ばれたのだ。

哲学者マルク・ソーテ（1947〜1998）は、その哲学カフェの提案者であり、議論のナビゲーターであり、コーディネーターだった。テーマはその都度、参加者たちの合議によって決められた。

哲学カフェの参加者たちが自主的に選択したテーマは、自殺、戦争、安楽死、宗教、歴史など、いわば人類が二十世紀末に抱え込んだ数々の問題で、街角のソクラテスたちは誠実な問いかけとして、それらをカフェに持ち込んだのである。

これは、カフェが私的空間でも公的空間でもない、そのどちらにも属さず多義的に開かれた空間だからこそ、成立した運動だったのかもしれない。この哲学カフェにおいて重要なことは、市民社会における哲学の可能性とカフェという開かれた空間の持つ文化的な価値が示されたということだ。

マルク・ソーテは一九九八年三月、奇しくもフランスのヌーヴェル・ヴァーグの旗手であった映画監督フランソワ・トリュフォーと同じ享年五十二という若さでこの世を去ってしまった。

ソーテの著作『ソクラテスのカフェ』(紀伊國屋書店/一九九六年)の解題によると、ソーテの死後も彼の遺志を引き継いだ「哲学カフェ」がフランス各地に、そしてアメリカ合衆国を含め、世界で存続しているようだ。

いまや学校、公共施設の会議室でも、「〇〇カフェ」と呼ばれる集会が開かれるようになった。それは単なる営業形態としての「カフェ」ではなく、不特定の人が寄り合い、議論する、そして相談相手になってくれる人がいる場所としての「カフェ」である。

さて、ぼくはここで、ソーテの「哲学カフェ」を範にして、「ひとり哲学カフェ」で「コーヒー」に触発を受けた話を展開しようと思う。二十一世紀の現実の苦さに負けないくらい苦いコーヒーをそばに置いて。

では始めてみよう。

2　詩とコーヒー

フランス映画には、街角のカフェが日常の一シーンとしてよく登場する。トリュフォーの代表作『突然炎のごとく(Jules et Jim)』(一九六二年)に出てくるカフェのシーンでも、ある店に行くと必ず誰かがいて、そこでは文学、芸術の話や仲間の消息が聞ける、というカフェの風景があった。映画の舞台はやがて第一次世界大戦が始まろうとするパリだった。

さらに、数十年さかのぼった一八七〇年代のパリを舞台にした映画、『太陽と月に背いて(Total Eclipse)』(一九九五年)。アルチュール・ランボーとポール・ヴェルレーヌとの破滅的な「愛」を描いていた映画でも、十九世紀末のパリのカフェが活写されていた。

カフェで真剣に朗読する詩人たちの横で悪態をつきながら、ランボーは遠くアフリカの砂漠でも幻視するような眼差しで、コーヒーを啜っていた。

カフェには詩が似合う。

詩はカフェに似合う。

なぜならば、詩にもコーヒーやカフェと同じように光と影があるからだ。どちらも、それがなくてもお腹も減らないし、ちっとも困らないはずのものだが、一度知ってしまうともうそれなしには生きていけないくらいの悪魔的な魅力を持っている。少なくともコーヒーはそうだ。詩もそうだ、と言いたいところだが、どうだろう。

町の本屋を覗けばすぐに了解されることだが、日本の現代の詩は、とくに定型から脱走した自由詩は、文学ジャンルのなかでも圧倒的な孤立を強いられ、息絶え絶えにかろうじて生き延びている状態だ。もちろん、ポピュラーミュージックの歌詞も詩だと考えれば、コーヒーが現代資本主義経済社会に欠かせない重要商品であると同じくらいに、詩も人類に欠かせないものとしてあると言ってもいい。商品化された楽曲だけではなく、街角にあふれるカラオケルームや、ストリートミュージシャンの歌声のなかにも、現代に生きるひとりひとりの「詩」が宿っているのは紛れもないことなのだ。

詩は人を拒絶し、同時に人を求め、あるときは告発し、呪詛し、警告し、威嚇もする厳しさを持つ。と同時に詩は甘え、許し、慰撫し、抱擁もする。かつて詩は人を鼓舞して戦争に、死地に駆り立て、失われた命を深く鎮魂もした。詩は、権力の側にたやすくすり寄り、いっぽうで弱者の側に立ち、徹底的な抵抗に参加し、体制に否（ノン）を言い立てもしてきた。

戦時にも、平時にも、詩はそこにあった。ときに社交的であり、ときに圧倒的な孤独の砦にたてこもって。

カフェに人が集い、談笑の花が咲く。しかしカフェには、孤独のテーブルも用意されていた。そんなことを呟きながら、ふとテーブルの上を見ると、誰かに置き忘れられたかのように、一冊の詩集がぽつんと置かれている。

小池昌代の詩集『雨男、山男、豆をひく男』（新潮社／二〇〇一年）だ。

そのなかの一篇、「豆をひく男」をそっと口に出してみよう。

とても長い詩だが、ぜひとも全篇を引用したい。

豆をひく男

手動のコーヒーミルで
がりがりとコーヒー豆をひくとき
男はいつも幸福になるのだった
それは男自身が
気がつかぬほどの微量の幸福であり
手ではらえばあとかたもなくなってしまう
こぼれたひきかすのようなものだったが
この感情をどう名づけてよいか
男自身にはわからなかった
長い年月
男は
自分が幸福であるとは

ついに一度もかんがえたことはなかったし
そもそも
不幸とか幸福という言葉は
じぶんがじぶんじしんに対して使う言葉ではなく
常に
他人が使う言葉であると
かんがえてきた
そしてこの朝のささやかな仕事が
自分に与えるささやかなものを
幸福などと呼んだことは一度もなかったし
ましてや
自分をささえる小さな力であることに
気付きようもなかった

コーヒーを飲んだあと

男は路上の仕事に出かけるのだ
看板を持ち
一日中、裏道の中央に立ち続ける仕事
看板の種類にはいろいろあって
大人のおもちゃ、極上新製品あり、このウラとか
ＣＤショップ新規開店、一千枚大放出
などと書かれている
同じ場所・同じ位置に立ち続けること
それは簡単なようでいて難しい修行だった
生きている人間にはそれができない
彼らは始終、移動している
なぜ、一つの場所にとどまれないのか
なぜ、石のように在ることができないのか
男は板の棒を持って立っていると

いつも自分が棒に持たれているような気持ちになったものだ
「生きている棒」
そう自分につぶやくと
眼の奥が次第にどんよりとしてくるのだった
そんなとき、男はすでに
モノの一部に成り始めているのかもしれない

いつか勤務帰りの深夜
男は
駐車場の片隅で
黒い荷物が突然動き出したことに
驚いたことがあった
浮浪者の女だった
そのとき
一瞬でも、人をモノとして感じた自分に

はじめて衝撃を受けたのだったが
いまはその自分が
容赦もなく物自体になりかけている

しかし
きょう、始まりのとき
男はいまだ全体である
一日は
コーヒーを飲まなければ始まらないのだから
だから、こうして豆をひくことは
男の生の「栓」を開けることなのだった
男は
いつからかそんなふうに感じている自分に少し驚く
豆をひき、コーヒーをつくる時間など、五分くらいのものだが
その五分が

自分にもたらす、ある働き
その五分に
自分が傾ける、ある激しさ
そして
この作業を
小さな儀式のように愛し
誰にもじゃまされたくないといつからか思った
もっとも、じゃまをする人間など、ひとりもいなかった
男はいつも一人だったのだ

がりがりと
最初は重かったてごたえが
やがてあるとき
不意に軽くなる
この軽さは

いつも突然もたらされる軽さである

まるで死のように
死のように

そのとき、ハンドルは
からからと
骨のように空疎な音をたてて空回りする
ようやく豆がひけたのだ

着手と過程と完成のある
この朝の仕事
きょうも重く始まった男のこころが
コーヒー豆をがりがりとひくとき
こなごなになり

なにかが終る
きょうが始まる
容赦のない日常がどっとなだれこむ
コーヒー豆はひけた
そして男は
「豆がひけた」と
口に出してつぶやく

喫茶店文化そのものがバブル経済以降、雪崩を打って崩壊してしまった日本。この詩は、そんな時代の孤独な男の朝のコーヒーの風景である。

さて、ぼくたちも、この詩に導かれるようにして、「豆がひけた」とつぶやいて、何かが終って、何かが始まる今日に、コーヒーを、詩を、世界を語ろう。

全体を失い、モノになってしまわないうちに。

3　スーフィーのコーヒー

コーヒーという飲料が発明された中世のアラブ世界は、必ずしも平和ではなかったかもしれない。しかしながら、起源の「コーヒー」なるものを人が飲むという行為のなかに、好戦的な傾きがあったとは考えられない。

十八世紀のフランスの啓蒙主義者たちなら、カフェインという成分が軽やかな興奮とともにある種の「理性」をもたらすものである、と考えるかもしれない。

エチオピア西南部のアビシニア高原で自生していた潅木が紅海を渡り、イエメン山中で栽培され始め、やがて牧歌的な主人たちの手から離れ、アラビア人によってインドへ、オランダ人によって東南アジアへ、フランス人によって遠くカリブ海および中南米にもたらされたときに、アフリカの黒人奴隷や各地の先住民の受難の歴史を持ち出すまでもなく、コーヒーがもたらす幸福感に影がさし始めたということは、多くのコーヒー史の研究家たちが叙述する通りだ。

フランスの学際的な食文化研究家、ジャック・バローの『食の文化史』（筑摩書房／一九九七年）によると、『フランス島、ブルボン島、喜望峰への旅』の著者、ベルナルダン・ド・サン＝ピエールは、一七七三年にこう書き記したという。

「コーヒーと砂糖がヨーロッパの幸福に必須なものかどうか知らないが、この二つの植物が世界の両側で不幸を作りだしたことを私はよく知っている。アメリカでは、それを植えるための土地を手に入れようとして、先住民の人口を減らしてしまった。アフリカではそれを栽培するための国民を手に入れようとして、人口を減らしてしまった」。

二十一世紀の世界を見渡したときに、ぼくたちが直面するさまざまな問題のなかで、先進国と言われる国と、そうではない国々の経済的な非対称の始まりに、コーヒーという国際貿易商品が存在したことは疑いようもない。

しかしコーヒーというものが地球上に存在しなくても、きっとコーヒーに代わる国際貿易商品の何かが、アフリカ大陸から大量の奴隷をアメリカ大陸に移送しただろうし、中南米の先住民の文化を破壊し、苦しめただろうし、富の偏在を引き起こさせ、非対称な世界を生み出したに違いない。だからコーヒーだけを悪者に仕立て上げることなんかない、と主張する論者もいるだろう。

また、コーヒーという換金商品が外貨を稼ぎ出し、コーヒー産地に富と幸福を運んでいるということを過小評価すべきではない。たとえ、それがひとつの国家のなかで一部のファミリーだけを幸福にしていたとしても、と言い張る論者もいることだろう。

コーヒーという国際商品を弁護するにせよ、「コーヒーノキ」という植物がもたらした「コーヒー」という飲み物、商品には、光と影が初めから内包されていたということだけは、紛れもない事実だ。コーヒーを語る者には、このことをきちんと押さえておく義務のようなものがある。

ためしにアメリカの著述家マーク・ペンダーグラストの『コーヒーの歴史』(河出書房新社/二〇〇二年)を開いてみよう。

エチオピアの「コーヒー神話時代」や初期イエメンでのスーフィーたちのコーヒーから始まる歴史は、オスマン帝国の大イスラーム圏形成とともに成長し、イスラーム圏から旅立ち、北西ヨーロッパの国々が覇権を競ったその栽培地域は、アジア、中南米へと拡大していく。

北西ヨーロッパで花開いたコーヒー消費文化の繁栄を支えるためには、生産地での悲劇的な歴史があった。こうした歴史を誠実に記述することなくして、もはやコーヒー史は成立しないことを、ペンダーグラストも示している。

もちろん、こうしたコーヒー自虐史観がコーヒーの価値を貶（おとし）めることにはならない。ペンダーグラスト自身も書いている通り、コーヒー栽培をめぐって、どんな非人道的な行為が集団的に繰り返されたにせよ、コーヒーという植物にはなんの罪もない。ましてや歴史を通して洗練されていった栽培法や精製法、ローストにおける工夫、さらには抽出、飲用におけるさまざまな発明のように連綿と続けられた人々の営みに罪があるわけでもない。

むしろ、偽悪的に語るならば、コーヒーの持つ光と影こそが、この特殊な近代の飲料を文化的にも魅力のある、悪魔的な陰影を醸し出す嗜好飲料にしているのは紛れもないことのように思える。音楽でたとえるならば、アフリカから奴隷として連れて来られた黒人たちの音楽と、西洋音楽が融合して生まれたブルースやジャズの持っている光と影に重なるところがないだろうか。

人類初のコーヒー飲用の現場の詳細な記録はないにせよ、スーフィーの集団のなかから飛び出したコーヒーが、やがて一般社会のなかでメジャーな飲み物になり、人々が集う「初期カフェ」を形成していったということが重要だと、ぼくには思える。

スーフィーたちは修行のために主導者のもと、各地に教団組織のようなものを形成していった。それは在野のイスラームの信者（ムスリム）からすれば、異端的な集団に見えたかもしれない。

きわめて社会的な宗教であるイスラームのなかにあって、スーフィーの多くは現世を否定し、あらゆる欲望を否定し、ひたすら神＝宇宙の真理を追究し、「コーラン」が示す世界観を探求し、修行を通して、唯一絶対の神（アッラー）と自己との同一化を目指した。

コーヒーを飲用し始めた頃のイエメンのスーフィーたちが、具体的にはどんな修行に励んでいたかは、わからないけれども、彼らは比較的、世俗と往還する穏健的なグループだったようだ（ハトックス『コーヒーとコーヒーハウス』）。

こんな比較をするのは非常識かもしれないが、日本の修験道の山伏たちが一定の修行を積んだのち、再び在野に戻り、日常生活のなかに身を置くのと似て、職業的宗教者とは一線を画すようなあり方で、十五世紀のイエメンのスーフィーたちは修行と在野での生活を往還していたようだ。

そのおかげで、墨のように黒く炒り込まれて煮出されたコーヒーは、スーフィーたちの限られたグループ内にとどまらず、一般人へと伝播された。

起源から現在に至るコーヒーの旅。エチオピア、イエメンからアラビア半島の紅海沿岸部を北に向かった交易初期、そして世界に拡散した現代に至るまで、コーヒーには常に「移動」のイメージがつきまとう。

最初期のコーヒーは、イエメンのスーフィーたちにとって、欲望を抑え込み、かつ明瞭なる頭脳で神の真理に到達しようという宗教的な情熱を支えるための、精神的な高揚感をもたらすものであった。抑え込むべき欲望とは、睡眠欲であり、性欲、食欲であった。コーヒーにはこれらの欲望を制圧する力があると信じられていた。

欲望を抑制する効能は、中世アラビアのイスラーム圏に広く点在したスーフィーたちには重要なものであったろうが、十六世紀以降のイスタンブールやカイロの一般の市民たちにとっては、むしろ社交的な場所に似つかわしい、明るくて、爽やかな飲料として楽しまれたことだろう。さらに、十七世紀以降の北西ヨーロッパの市民社会において、コーヒーは、茶、チョコレート（ココア）と並んで、ノンアルコールの嗜好飲料としてデビューを果たしたわけだ。

そして、そのことは、旧勢力のアルコール信奉者の反発を招くことになるし、アラブ社会から突然もたらされた新参者に疑念を寄せる層も確かに存在したのである。

たとえば、十七世紀のロンドンに出現したコーヒーハウス(注1)。男たちが、居酒屋(パブ)ではない新しい居場所に夢中になったことに対して、これを敢然と糾弾する婦人たちが現れた。

当時のイギリスのコーヒーハウスでは、女性は自由に入ることを許されなかった。それは、フランス、ドイツ、イタリアなどでも同じであった。女性たちのコーヒーに対する非難の根拠は、コーヒーを飲用した男性の性欲が著しく低下するということで、これは全人類の絶滅の危機をもたらすという、実に大袈裟なものだった。

ここでの婦人たちの抗議は、極度の禁欲、自己抑圧の果てに忘我、恍惚の境地に至るといった宗教的な修行を目指したイエメンのスーフィーたちが、コーヒーを必要としたことから考えると、あながち的外れな抗議とは言えないかもしれなかった。

ただ、コーヒーハウスに出入りする男たちの賑やかな談論風発ぶりに、さほど禁欲的な雰囲気は見つけられなかったのも事実だ。実際、コーヒーがこれだけ世界で飲まれるようになって数百年経つが、いまのところ人類は絶滅していない。

それでも繰り返し、コーヒーやコーヒーを飲む場所が非難され、弾圧されるのには、それなりの理由があるのだろう。それはやはり、コーヒーの抱えている二面性、光と影によるものではないか。この二面性こそが、コーヒーのことをやれ神の飲料だ、万能薬だと褒めちぎるか、悪魔の飲み物だ、毒だ、人類を絶滅の危機に追いやる危険な飲料だと、賛否ともに極端に走らせるのではないだろうか。

そしてこの賛否両論には、カフェインなどのコーヒーに含まれる成分の機能性だけでは説明できない、文化的な、場合によっては政治的な要素がからんでいる気配があった。

コーヒーの本質は、スーフィーによって飲用された十五世紀と、市民社会に受け入れられた十六世紀以降で、変容しただろうか。

スーフィーたちは、コーヒーを集団でまわし飲み、眠らない夜のなかで、ひたすらズィクルを続ける。その先にある神との合一を目指して。

孤独な精神の営みと、集団で修行するという連帯感の間に、コーヒーを飲む時間と空間の共有があり、それが、最初期の「カフェ」になっていた。

こうした中世アラビア社会のスーフィーの飲んだコーヒーと、政治や経済、仕事の話をアルコール抜きで議論する近代西欧社会の市民たちのコーヒーに、違いはあるのか、ないのか。

両者において忌避されたのは、アルコールによって「酩酊」することである。「コーラン」で神は、酩酊して祈りの言葉を言い間違えた民を諌めている（4章・注3参照）し、商談や政治的な会合でも酩酊していては、しくじりの原因になることは明らかだ。

隠遁生活をする修行者と、近代市民社会の担い手になっていく紳士、商店主たちが、ともに「ノンアルコールの公共の場（カフェ）」を必要としたという点で、コーヒーの立ち位置はまったく変わっていない。現象としては、両者ともに「禁欲」の方向に向かってコーヒーを必要としている。

しかし、両者のあいだには、「禁欲」における大きな変換があるのではないか。

つまりコーヒーは、近代の経済至上主義の扉を開き、たんに三大欲を抑える純粋な「禁欲」ではなく、酩酊のあとの二日酔いに効き目のある酔い覚ましとして、あるいは、飽食の果てに、さらに食べ続けないために求められるという、欲のための禁欲の飲料となったのだ。

そうした新たなコーヒー像が、十七世紀のロンドンのコーヒーハウスに先駆的に見られたのではないだろうか。

そしてこの新たな側面を持つコーヒーは、近代に向かってまっしぐらに走り出したヨーロッパ人たちに広く受け入れられることになり、イエメンだけの生産量ではとても賄いきれない市場規模を獲得したのだ。

そこで、オランダ、フランスがいちはやく、インド、アジア、そしてカリブ海から南米へとコーヒー生産地を展開していった。

食欲を抹殺するコーヒーがあるいっぽうで、夢のように満たされた豪華な食事の最後に出される至福の一杯でもあるコーヒー。

コーヒーの持つ魅力は、もっぱら、その光と影を巧みに使い分けながら、アルコールを共通の「敵」にして、イスラーム圏だけではなく、近代西欧社会のなかにじわじわと浸透していった。

4　移動と変容

さて、初期の閉ざされた「場」では、商業的に拡散・移動することなく飲まれたに違いないコーヒーは、その種子だけを加工する飲用スタイルが確立される頃には、周辺地域に伝播していき、やがて限定された産地＝イエメンの山中から産出される「移動」を前提とした「貿易商品」となる。

この「移動」の駆動力になったのは、イスラーム圏内の商業流通のシステムと、メッカに向かう巡礼を頂点となす宗教的な交流、移動のシステムであったことだろう。とりわけ聖地メッカには、聖俗さまざまな流行のものが集まった。

アラビア半島の最南端のローカルな飲料だったコーヒーは、メッカ、メディナに、そしてカイロ、バグダッド、さらにイスタンブールというギリシアの近隣地域にまで移動したときに、イスラーム圏の上流社会も含めた社会全体において普及のピークを迎えた。

中世アラビア交易経済圏のなかで、コーヒーという商品は移動し、伝播、普及したわけだ。イエメン山中の自給自足的な「裏庭のコーヒー」は、遠隔地交易によって利潤をもたらすことで、カイロ周辺の豪商たちの注目する国際貿易産品に変貌を遂げた。

コーヒーがイスラーム圏を飛び出して、普及、伝播するということは、産地からの逸脱の始まりでもあり、起源におけるコーヒーの失楽園をも意味していた。イエメン山中の初期のコーヒーには、奴隷制も先住民抑圧もモノカルチャーの押し付けも、相場操作も貿易調整も為替損益もなかったのだから。

初期のコーヒーはイエメンのモカ港から出荷されていた。出荷された港の名前が、のちにヨーロッパで商品名として定着した。モカ港が廃れて他の港から出荷されるようになってでも相変わらず、イエメン産のコーヒーは「モカ」と呼ばれ続け、やがて、ヨーロッパではコーヒーの代名詞にもなった。遠距離交易のネーミングとして、有田で作られた陶磁器が、伊万里から出荷されたことで、ヨーロッパでは「イマリ Imari」と呼ばれ続けたことを想起させる話だ。

そんな「モカ・コーヒー」も、産地がやがてイエメンだけではなく、北西ヨーロッパ諸国の植民地戦略によって中南米、東南アジア、南インドへと世界中に拡散していくことになる。世界中に広がったコーヒー生産の拡大によって、イスラームのコーヒーは、ヨーロッパ人のためのコーヒーに変貌を遂げていった。

さらに、イスラーム圏の覇者だったオスマン帝国の没落が決定的になった二十世紀、帝国内では高価な輸入品のコーヒーよりも茶（チャイ）が飲まれるようになっていき、ついに一九三〇年からは、トルコ領内で茶の国内生産も始まった。

かつてアラビア半島の片隅で発明されたコーヒーの魅力を世界に発信する力を持っていたオスマン帝国のメモリアルとして、二〇一三年に「トルココーヒーの文化と伝統（注2）」がユネスコの無形文化遺産に登録されたことは、せめてもの救いかもしれない。

人はどんな作物でも、裏庭でできるようなものに高値をつけたり、巧妙な商品イメージを付与したりして、そこから莫大な利潤をあげることなどできない。遠くでしか手に入れられないもの（空間的差異）を運搬して、この時期にしか採れない、どこよりも早く手に入る、あるいは数十年も熟成させたもの（時間的差異）というふたつの差異のなかでこそ、利潤は生まれるのだ。

遠隔地貿易は、価値の差異を搾取することで成立する。コーヒーもまた、移動によってもたらされ、香辛料に代わる商品として注目された。もっともこれからは、現代のブラジルのように巨大産地でありながら、同時に一大消費国でもあるということも、あるかもしれないが。

現在、コーヒーは一次産品としては原油に次いで取扱高の高い国際取引商品である。主要産出地は中南米、アフリカ、インド、東南アジアである。一位がブラジル、二位がベトナム、三位がコロンビア、四位がエチオピア、そして二十五位のカメルーンまで続く。このリストのなかにイエメンの名前は見当たらない。コーヒー栽培の故郷にも関わらず、生産量的には影が薄いのだ。

ちなみに石油（原油）は、第二次世界大戦以降、アラビア世界で本格的に採掘が始まった。その輸出上位国に、サウジアラビア、イラク、アラブ首長国連邦といった中近東の国々が名を連ねる。

イスラーム圏における石油とコーヒー。

何のつながりもないように見えるふたつの象徴的な黒き液体は、果たして中近東とその周辺のイスラーム圏に、近・現代という時代において、真の意味でのアラビアの幸福をもたらしたのだろうか。

中東、西アジアや北アフリカ、アラビア半島に分布したセム系語族(注3)のなかから生まれたユダヤ教、キリスト教、イスラームなど、一神教の共通の預言者に、アブラハムがいる。旧約聖書の「創世記」には、正妻サラになかなか子供が生まれず、女奴隷のハガルにイシュマエルを産ませた、とある。

それから十四年後にサラがイサクを産むと、ハガルとその子イシュマエルは荒野に追放される。荒野をさまようハガル母子に、大天使ガブリエル（アラビア語ではジブリール）が現れ、ザムザムの井戸を教えた。このときに助かったイシュマエルの子孫こそがアラブ人だという伝説がある。

そして、その井戸の聖なる水こそが、のちのアラブ人にとってのコーヒーであり、そして石油だったという話までまことしやかに語られている。

セム系一神教の数千年にわたる神話と歴史が織りなす物語は、二十一世紀の今日に至るまで、イスラエル・パレスチナ問題を引き合いに出すまでもなく、この地域に暗い影を落としている。

5　ふたたび、戦争

二十世紀から二十一世紀にかけて世界はどうなったのか。一九九八年末から今日までに起こったことを振り返れば、世界があらたな困難の局面に立たされているのが見えるような気がする。

アメリカの言語学者ノーム・チョムスキーのように、数十年前からアメリカ合衆国の国際社会に対する数々の「テロ行為」を非難し続けてきた筋金入りの平和主義者ならば、二〇〇一年九月十一日にアメリカ合衆国を襲った未曾有の事態を、この半世紀ほどの間に合衆国がなしてきた「悪行」の数々の当然の帰結として受け止めたことだろう。

ニューヨークのワールド・トレード・センターやペンタゴンを襲った事態に誰もが驚愕したのは、それが人類史上における大悲劇だったからではなく、世界の中心と信じられたアメリカ合衆国の軍事的中枢や経済的シンボルが史上初めて攻撃されたからだ、ということ。そしてアメリカ独立戦争以来、本土が攻撃を受けた初めての出来事だったということだ。

ベトナムや中米、コソボなどに対する、アメリカ合衆国（およびその指揮下にあったNATO軍）による直接的、間接的軍事行動の数々、国際司法裁判所から「他国への侵略行為」と有罪判決を宣告されたこともある一九八一年のニカラグア事件(注4)。いわば世界的な「テロ国家」であるアメリカ合衆国の、この数十年になしてきたことの当然の帰結として9・11があるというのが、チョムスキーのラディカルな見立てだった。

二〇〇一年九月十一日。

その日、ぼくは一九九九年三月から仕事で赴任していたフランス、リヨンにある料理学校の卒業式に、学校側スタッフとして参加していた。会場内では、来賓の幾人かが、見たばかりの国際ニュースについて噂していた。ワールド・トレード・センターって、いったいどのくらいの数の人間が働いているんだ？　千人か、数千人か、いや一万人か？

やがて、フランス人同士のお喋りが明確な輪郭を持ち始め、やっとぼくを含めた日本人スタッフにも了解された。NHKの衛星国際放送をつけると、そこにはあまりに現実離れした映像が映し出されていた。のちに世界中に繰り返し放映された、ふたつの高層ビルが民間の旅客機の突入によって崩壊していく映像（あとで知ったことだが、この映像は、マンハッタンの消防士のドキュメンタリーを撮っていたフランス人の兄弟が偶然にも撮影したものだった）は、やはり時間の経過とともに明確な衝撃として、式に参加したフランス人、そしてぼくたち日本人に波及したのであった。

二十世紀の終わりと二十一世紀の始まりの三年間をフランスのリヨン近郊のレイリュー村(アン県の西端。ソーヌ川沿いのトレブーという、フランスで最初に辞書印刷が行なわれたことで知られた町の隣村)で、ぼくは過ごした。

そしてフランス滞在三度目の秋、アメリカ合衆国での九月十一日をフランスのメディアやNHKの国際放送を通して目撃したのだ。誰にとっても信じられない光景がテレビのブラウン管の彼方から届けられた。フランス人のレポーターや解説者らしき人物のまくしたてるフランス語の洪水のなかから、ひとつの日本語らしきフレーズがくっきりと響いていた。

「カミカーズ・イスラミック」と、それは聞こえた。

「カミカーズ」という発音は、どうやら、「カミカゼ kamikaze」という言葉らしい。その日本語らしき言葉は、フランスのメディアのなかで、数週間、繰り返された。

それは、すなわち「神風」のことであり、太平洋戦争末期において、片道の燃料しか積まずに敵艦に体当たりした捨て身の自爆攻撃「神風特攻隊」に由来する言葉である、ということに気づくのに、しばし時間がかかった。そしてフランス人が使う「カミカーズ・イスラミック」というフレーズに、なんとも言えない生理的な違和感を感じた。

ためしに手元の仏和辞典をひくと、「kamikaze」という言葉は一般名詞（あるいは形容詞）として、「神風、神風特攻隊員（機）、そして、向こう見ずな命知らずの人、自殺同様の」という意味にまで拡大され使用されている。英和辞典をひいても同じように記載されていた事実に、困惑というものを感じざるを得なかった。

カミカゼという日本語は、トーフやタタミ、サムライ、ゲイシャとともに密かに海外デビューを果たしていたのだった。

イスラーム原理主義者のなかの一部のテロリストたちが、民間航空機をハイジャックして、一般の乗員乗客を道連れに民間人の施設であるワールド・トレード・センタービルに対して行った自爆テロ。

奇襲で始まった戦争ではあったが、戦争もすでに末期、軍隊と軍隊との戦闘状況のなかで、捨て身の、それこそ狂気の沙汰としか言いようのない片道燃料だけを積んで敵艦隊にパイロットもろとも突撃するという「特攻隊」。

このふたつの間には、途方もない違いがあるのではないか。

テロリストの行為と、戦時下の「神風特攻隊」の行為が、同じ「カミカゼ」という言葉に収斂されるのは、いかにも容認しがたいことだと、ぼくはそのとき拙いフランス語で抗弁を試みたのである。

そもそも「神風」とは、元寇（げんこう）(注5)と呼ばれた隣国からの日本侵攻の折に吹いた暴風雨にその起源がある、由緒正しい言葉なのだとわめきながらも、いっぽうで、この「愚劣な」行為の深い根っこに共通する痛ましさがあるということを、どこかで認めざるを得なかった。

それにしても、元寇の故事にならって六五〇年の時を隔てて、アジア太平洋戦争の末期の一九四四年十月二十一日に、敵艦に体当り攻撃するべく出撃した若者たちに「神風特別攻撃隊」という名称が与えられた歴史を、ぼくたちの国が持っていることを決して忘れてはならない。しかも、特攻隊の四隊にそれぞれ、敷島、大和、朝日、山桜と、この国の詩人たちが大切にしたに違いない言葉をあてたことに、胸ふさがれる思いがする。

イスラームを信奉する膨大な人々のなかの、ごく一部分であるイスラーム原理主義者の、さらにごく一部の過激な集団による狂信的な行為は決して容認できるものではない。

そして、どんな大義があろうとも、死んでいくのは若者たちであるという事実。その若者たちを死地に追いやる作戦を立案し、指揮するのは、仮に弱小の集団であっても、そのなかでは権力を持つ者に違いない。指示を出す「権力者」たちは多くの場合、「自殺的作戦」で死ぬことはなく、次なる展開、作戦を練ることのできる場所に安住していたという点では、神風とカミカーズ・イスラミックとの間に、さほどの乖離(かいり)はなかったかもしれないと思いあたると、暗澹たる気持ちにならざるを得なかった。

日本でも、戦後を生きながらえた者たちは、「カミカゼ」の呪縛から自由ではないはずだ。論理的な物言いではないが、イスラーム過激派と戦前の日本のそれぞれの「神」とともにあった戦いの対比に、心が流されていったことを、いまなお記憶している。

唯一絶対神と、日本の十五年戦争下(注6)の日本の天皇との対比が霞のように雲散霧消していく感覚に囚われてしまったのだ。

二十世紀は革命と戦争の世紀だった。

もちろん二十世紀に限らず人類の歴史は戦争や動乱と無縁ではなかった。善きこともなしてきただろう人類が、いっぽうで悪行の数々を繰り返しながら、その果てに歴史的評価というものの善悪が、オセロゲームのように目まぐるしく入れ替わりながら、しまいには善悪の単純な二元論自体がすっかり無効になってしまう現在が、ここにある。

6　戦争と映画

二〇〇三年三月二十日、パパ・ブッシュと同じように、息子のブッシュ大統領によってイラク戦争が始まった。

世界の人々は無力感に襲われながら、かつてない反戦運動を世界各地の都市に巻き起こして開戦前後の数週間を過ごした。

戦争が始まってわずか三日後の二〇〇三年三月二十三日、七十五回目を迎えるアカデミー賞の授賞式が開催され、その様子が痛快なニュースとして世界に配信された。

長編ドキュメンタリー部門で賞を獲得した『ボウリング・フォー・コロンバイン』（二〇〇

二年)。マイケル・ムーア監督による受賞スピーチ、それは戦時下の公的な場でなされた史上最大級の現役大統領に対する罵倒そのものであった。

三月二十四日付けの朝日新聞夕刊の記事によると、彼は「我々はノンフィクションが好きだ。なのにいまは、イカサマ選挙で決まったイカサマの大統領をいただいて、作りものの世界に生きている」と、ぶちかましたのだ。

ムーアは、著作『アホでマヌケなアメリカ白人』(柏書房/二〇〇二年)でおなじみの、ブッシュ当選の大統領選挙での開票作業およびその後の裁判での不透明性を指摘する自説を蒸し返し、さらに「イカサマの理由によって戦争が始まった。イカサマの情報が流れている」「我々はこの戦争に反対だ。ブッシュよ、恥を知れ。お前の持ち時間は終わった」と絶叫したのだ。

場内は拍手とブーイングが交錯し騒然となった。

戦時下のアメリカ合衆国の八十%以上もの国民が、この「イカサマ戦争」を支持していたにも関わらず、映画産業の最大規模の祭典において、こんな受賞スピーチをするムーア監督のような人間の作品を評価する。それが、またアメリカという国なのだろうか。

息子のブッシュ大統領が主導したイラク戦争(注7)は結局、大量破壊兵器を発見することもなく終結し、その後の世界の混乱に拍車をかけただけだったのは、現在のぼくたちがよく知っている事実だ。

いずれにしても、この新しい世紀に入ってもなお、戦争、紛争、そして自然災害、疫病、不況、凶悪犯罪は絶えることはなく、この惑星のぼくたちは繰り返し、挫けそうになりながら絶望の断崖に立ってなお、その先の光を求めてもがきながら生きている。


そんな局面において、映画も詩も、日曜テレビ討論会も無力なことだろう。

「言葉」は所詮、そこらを吹き抜ける風のようなものに違いない。けれども、『ボーリング・フォー・コロンバイン』でも描かれていた、世界最大の兵器製造企業ロッキード社が造る最先端の弾道ミサイルもまた同じように、無力であるに違いない。

大量に人を殺し、悲しみと憎悪の連鎖を作ることはできても、結局のところ「大量破壊兵器」でさえ、世界を絶望から救える力など持ちようがないのだ。

せいぜいが、何世代にも渡る復讐の記憶の樹をまた一本、この惑星に植えるくらいの力しか持っていないことだろう。

それはあらゆる意味において虚しいことだ。

「正義」と「民主主義」のミサイルが人殺しをしに飛んでいくこの惑星の、極東の町で、仕事が終わって途方に暮れたようにどこへ行くあてもないぼくたちは、今夜も、暗闇のなかの銀幕に吸い込まれていくしかないだろう。

映画には光と影が宿り、世界をその映像で暴くときに、傍らにはやはり一杯のコーヒーが、やけに苦いコーヒーが、つきそってくれることだろう。


おそらく二十世紀の百年をかけて発展してきた映画の真価が、いまほど問われている時代はないのではないか。

そして、映画は戦争の世紀である二十世紀の申し子でもあった。映画は、詩歌と同様に「国家戦争」のプロパガンダの片棒をかついだ苦い経験を持ちながら、戦争の愚かしさを告発もしてきた。


あの国のあの草原や砂漠には、いまごろどんな風が吹いているのか?

町々の、村々の、傷ついた子供たちには、どんな星空が見えているのだろうか。

7　最後のコーヒー

人生は前にしか進まない。

そうだろうか、本当に？

フィンランドの映画監督アキ・カウリスマキ(注8)の『過去のない男』（二〇〇二年）を観ながらぼくは考えた。

記憶喪失の男(役者は、『かもめ食堂』に登場した元コーヒー店のおじさんを演じたマルック・ペルトラだ）の人生に対する信じられないほどの誠実さが、まるでお伽の国の物語のように切々と胸に迫ってくる。その独特の映像スタイル。そして演出。さらにいろんな国の音楽を自在に呼び寄せるセンスのよさ。

人格は、記憶によって形づくられる。記憶そのものが、その人だと言っていいくらいに。

歴史が人の集合的な記憶だとしたら、ここまで怨念、因縁、支配、被支配、貧困、そして圧倒的な非対称に覆われた世界が、その記憶を喪失した時にどうなるだろう、と妄想してみる。

いくつもの聖典と啓示と贖罪を忘却して、戦争を虐殺を略奪を被害を占領を報復を、そのすべてを忘却し、国家的、民族的、宗教的、「集団的記憶喪失」になって過去のことにとらわれず、まずはいまだけを、明日からのことだけを前向きに考えて生きていけたら、と。

ヘルシンキの夜中の公園で、暴漢にバットで頭を殴られた男のように。そうなったら、「サミット」という名の世界の寄り合いに集まる「大国」の首脳連中は、どんな前向きな明日を人類に提案できるだろうか。


この映画の男の場合、記憶喪失が彼の人生の線路のポイントを画期的に切り替えることになる。

そこかしこに悲しみがないわけではないが、「前にしか進まない人生」は、まったく違う文脈の幸せの鉱脈を掘り当てる。

カウリスマキの描く記憶喪失の男は、新たにヘルシンキで恋人ができる(この恋人をカウリスマキの映画のミューズとも言えるカティ・オウティネンが演じている)。ところが、自分の家族の住む場所が分かり、いったんは恋人と別れて故郷に帰るのだが、そこには再婚した妻が居たのだ。

それで、記憶喪失の男は、ふたたび恋人のもとに戻るべく、ヘルシンキに向かう列車の食堂車のなか、なぜか日本酒のお銚子一本と鮨を器用に箸でつまみながら、日本のユニークなロック・バンドであるクレイジーケンバンドの「ハワイの夜」が流れる。つまり、このシュールな場面で、男は記憶喪失以前の「過去」から記憶喪失後の「現在」に生還したあと、さらに「未来」に接続できたのだ。

まさに人生は前にしか進まない列車のように。

それにしても、ヘルシンキ、日本酒、鮨、そしてハワイの夜、という奇抜な演出。不思議なカウリスマキ特有の世界である。

もちろん、現実はもっと複雑だろう。

さしたる根拠のない「記憶」や「歴史」に世界はがんじがらめになっている。幸薄い人々を描き続けたカウリスマキが、この映画で描いてみせた「幸福」は、経済大国とも栄達や名誉や勝利や支配とも無縁の世界観の、ささやかだが、とてつもなく大きな「幸福」であった。

さて、そろそろ「ひとりソクラテスのカフェ」でのぼくの語りをお開きにしよう。

世界で一番、ひとり当たりのコーヒー消費量が多いフィンランドで映画を撮り続けているアキ・カウリスマキ。これ以上の不幸はないというような暗い顔の中年の男や女がいっぱい出てくる彼の世界に、寒空の下、凍える手を温めてくれるコーヒーはよく似合う。もっとも、彼の映画では、ひと気のないうらびれたカフェで、ぬるくなったビールをまずそうに飲むシーンの方が、圧倒的に多いけれども。

最後にぼくの書いた詩を「ひとりソクラテスのカフェ」のテーブルの上に置いておこう。この詩にコーヒーは登場しないが、芭蕉が、三百数十年生きながらえて俳諧の旅をするという荒唐無稽な設定のもと、俳諧巡礼の旅のなかに、コーヒーの光と影を潜ませたつもりである。

思えば、日本の俳諧、連歌は、本来は誰のものでもなかった太古の「歌」が、中世の王権や国家権力の側に回収され、洗練された「和歌」の伝統を踏まえつつも、再び民間人のなかに再回収、再構築された草の根の文芸運動だったはずだ。

そのことは、エチオピアやイエメンの山中のコーヒーの文化を、近代の西欧植民地主義が生み出した怪物の「コーヒー」からふたたび取り戻そうとする、真の意味での搾取を憎む世界中のコーヒー愛好家たちの精神に通底するものだろう。

日本各地を旅した芭蕉の俳諧、連歌の旅は、移動するコーヒー、カフェの本来的な意味における姿に重なるような気がしてならない。

芭蕉遊行　フィンランド篇

たとえ記憶が失われても
人生は
まえにしか進まない
「過去のない男」
しあわせはここにあるのかないのか？

キマスリウカ

1

空港からの風景それはヘルシンキ
芭蕉と取り巻きの旅はすでに北欧にまで及んだ
旅をはじめてかれこれ三百数十年
荒地の詩人も遠慮したこの新世紀
よもやここまで生きさらばえるとは

われもまた百代の過客にして
旅人こそが行きかう年月
世界各地の俳諧巡礼の旅
片雲の風ふく砂漠や海原や草原をこえ
かぞえきれない戦役を踏みこえて
老いさらばえた見者の哀しみ淋しさ
もう定型に結べなくなったこの想い

ヘルシンキの安宿のテレビで
砂嵐の彼方から目撃されたのはインチキな大統領の像がひきずり倒される
まるでツクリモノのような
砂嵐の国の戦役の一部始終
かつて独裁者と名指しされた男の
巨像の残骸

これが、二十一世紀の正義の巨大帝国の最初の戦利品とはあまりに愚かなことだ

行く春や
ことばはそこで永遠にブレイク
切れ字に垂直にミサイル
砂漠の神の慈悲もかなわず
芭蕉は知っている
定型に見捨てられた世界
涙の井戸は枯れ果てた

2

長生きなんかするもんじゃない
深くため息をつきながら芭蕉と取り巻きは

いつもの
ヘルシンキの港の旧市場内のノリマキという
実在の鮨屋で
小鰭に似たこぶりなひかりものを
ひょいと口にほうりこむ
江戸でもまだ早鮨なんて食したことはなかったのに

ノリマキ
そうかカウリスマキと韻をふむなと
芭蕉はめずらしくひとり笑いして
きのう観た映画の監督の名前を思い出して
また小鰭のようなひかりものを
ひょいと口にほうりこむ

ノリマキ　カウリスマキ

くちびる淋しき
波止場のさき
（と、これは、取り巻きのひとりの駄句）

だれもが駄句をながして
口にひょいと
ノリマキの夜
あとは新世紀のKARAOKEへ
正気を保つために唄う今宵も
遊行にながれて

（まずは曽良が一曲。戦後ムード歌謡風に青い灯、赤い灯、エコー強にして切々と唄います）

人生の
ああ人生の
悲哀とか

孤独とか
もうだれも癒すことなんかできやしない
夜霧よ
ヘルシンキの
夜霧
夜霧　夜霧
夜霧よ今夜も
グッバーイ

3

唄うな曽良よ
郷愁を響かせて
いまは世界中の路上で

巻きあがっている高速ステップの
韻を胸に
きざめ
世界は前にしか進まない
インチキでも
ヘルシンキでも
夜霧でも
結局のところ
前があって後ろがない
定型に結べぬ詩もまたあるということを
今宵は胸にきざめ

ホテルのテレビの箱のなかでみた
あの砂嵐の街にも
やがて

つぶらな瞳の未来のムハンマドが韻を踏む
たとえ音曲を好まぬ神の
住まう町だとしても
新世紀の韻を
前に進みながらステップしていく、と
ここは思い定めて
新世紀の白夜を
眠れ

（この詩篇は、フィンランドの映画監督アキ・カウリスマキの新作「過去のない男」に触発されて書き起こした。『雲の時代』小山伸二／書肆梓に収録）

さてこれ以上、語るべき何ものももはやないが、今後、コーヒーを考えカフェの可能性を考えるとき、それぞれの趣味や生活や思想や心情といった等身大のものから、直接には触れることのできない、他者や他国や、あるいは過去や未来の「異文化」、未知なるものへの接近、相互理解のためのささやかな杖に、ぼくの文章がなればいい。

世界のことを考え、戦争や文学を、そしてコーヒーを語ることは、決して高踏的な趣味ではない。もっと切実な問題として、いまのぼくたちに課されたものなのだと思う。

フランス滞在中にぼくが通っていたフランス語の教室のピック先生が教えてくれたフレーズが、しきりと思い出される。

ローカルに行動し、グローバルに思考すること。

Agir local, penser global.

この標語はアンチ・グローバリゼーションの運動から生まれた。「ル・モンド・ディプロマティーク」という月刊誌の編集長だったイグナシオ・ラモネの論説をきっかけにして、フランスで生まれた国際的な金融取引への課税「トービン税」を求める、ATTAC(注9)という世界的な運動の標語だ。

このフレーズを、これからのぼくたちのコーヒー文化を考えるときの拠り所に、灯台の光のようにしておきたい。そう、マルク・ソーテが始めた哲学カフェ「カフェ・デ・ファール（灯台のカフェ）」のように。

この章は、「『詩とコーヒー』試論への断章、その後」（日本コーヒー文化学会『コーヒー文化研究』第10号掲載、二〇〇三年）を大幅に加筆・修正したものです。

第3章　コーヒー文化論一九六八／二〇一八

1　明治維新から

二〇一八年は明治維新百五十年の区切りの年だ。その五十年前の一九六八年は、明治維新百年だった。

一九六八年のNHKの大河ドラマは「龍馬がゆく」（原作・司馬遼太郎）であり、二〇一八年は「西郷どん」（原作・林真理子）だ。明治維新関連の本も、どちらの年にもたくさん出版された。

徳川幕府による二百年以上に渡る平和な統治も終わりを告げ、この国が文明開化、殖産興業、さらには富国強兵のかけ声のもと、西欧列強に追いつこうとした百年間と百五十年間。たしかに、日本は西欧的な装いをまとい始め、食生活のなかにも西欧的なものが浸透し始める。本来はイスラーム文化圏起源のコーヒーも、北西ヨーロッパの香りをまといつつ、日本に本格的に上陸した。そんな百年間、あるいは百五十年間だった。

さしたる意味はないものの、戦後の日本のコーヒーと喫茶店（カフェ）の変遷をたどるのに、一九六八年から二〇一八年の五十年というモノサシをポケットにしのばせ、ときに寄り道しながら、ぷらぷらと歩いてみたい。この小さな旅のお供をしてくれるのは、一九五〇年創業の出版社、柴田書店の雑誌たちだ。

この出版社は、すでに書いた通り一九八〇年代にぼくが働いていた会社でもある。

一九四五年のアジア太平洋戦争の敗戦から二十三年の間、無条件降伏、七年にわたるGHQ(連合国軍総司令部)による占領、朝鮮戦争による特需景気、そして東洋の奇跡と言われた戦後復興、一九五八年には東京タワーが完成し、高度経済成長の幕開けと、にぎやかな時代を駆け抜けたその先に待っていた一九六八年。

焦土と化した国土の復興、再開発、工業地帯の再起動など、さまざまな場面で労働力が必要とされ、全国から出稼ぎ労働者が都会に集められ、金の卵と言われた中学校卒業の若者の集団就職というものまで恒例となった。この時期にすでにして地方の疲弊、過疎化へのスイッチは押されていたのだろう。都市への人口流入はとどまることを知らず、いまに続いている。

一九六四年の東京オリンピック。戦後復興の象徴の一大イベントに間に合わせるようにして突貫工事で完成した首都高速道路、夢の超特急・東海道新幹線の開通、一九七〇年の大阪万国博覧会と、奇跡の戦後復興を遂げた日本のこの時代、国民の所得も上がり、幸せいっぱい、ハッピーでバラ色の時代だったに違いない。

けれども、いっぽうで十五年にも渡るアジア太平洋戦争の負の遺産、抑留者、引揚者など戦争の暗い影を引きずった人もたくさんいたはずだ。たとえば、シベリア抑留から帰還した石原吉郎（1915~1977）のように。詩集『サンチョ・パンサの帰郷』（思潮社／一九六三年）は、戦争を忘却したかのような祖国に対しての詩人の違和感と喪失感の表明だった。

何よりも詩が読まれた、そんな時代の金字塔『サンチョ・パンサの帰郷』から同名の詩をぜひともここに引用しておきたい。

サンチョ・パンサの帰郷

安堵の灯を無数につみかさねて
夜が故郷をむかえる
みよ　すべての戸口にあらわれて
声をのむすべての寡婦

驢馬よ　権威を地におろせ
おとこよ
その毛皮に時刻を書きしるせ
私の権威は狂気の距離へ没し
なんじの権威は
安堵の故郷へ漂着する
驢馬よ　とおく
怠惰の未明へ蹄をかえせ

やがて私は声もなく
石女(うまずめ)たちの庭へむかえられ
おなじく　声もなく
一本の植物と化して
領土の壊滅のうえへ

たしかな影をおくであろう

驢馬よ　いまよりのち
つつましく怠惰の主権を
回復するものよ
もはや　なんじの主人の安堵の夜へ
何ものものこしてはならぬ
何ものものこしてはならぬ

長き不在からの帰還者たちのように、好景気に沸いた経済復興に置いてきぼりをくった人たちの恨み節のように、あるいは高度経済成長のひずみとしての水俣病をはじめとした公害問題、激化する労働争議、成田空港建設反対を掲げる三里塚闘争、そして日本の戦後政治の中心課題でもあった日米安保条約をめぐる闘争、いまなおこの国に数多く残された米軍基地問題など、戦後の日本の体制に対する不満がふつふつとマグマのようにある飽和点に近づいていた、一九六〇年代。

2　学生たちの「反乱」

一九六八年とは、世界各地で巻き起こった学生たちによる「反乱」の年としても記憶されてきた。

たとえば、一九六八年五月のパリ。パリ大学ナンテール校で学生たちが立ち上がる。当初、「男女別宿舎の相互訪問の自由」を大学当局に求めた学生たちを拒絶する、大学側の対応の悪さから事態は悪化し、学生による大学占拠にまで発展する。やがて、政治的なスローガン、「ド・ゴール政権打倒」を叫ぶ広範囲の学生たちにより、パリの大学が次々に占拠・閉鎖され、いわゆる「五月革命」と呼ばれるものに拡大していった。

セーヌ川左岸の学生街であるカルチェ・ラタンは、学生たちの火炎瓶と、これを制圧しようとする機動隊による催涙弾とでまるで戦場のようになった。学生たちはパリの石畳をはがしてバリケードを作り、機動隊に投石する。石畳の舗石をひきはがすと出現する地面、そこは砂浜なんだと、彼らは叫んだ。

あの有名なフレーズ「敷石の下には、砂浜が！（Sous les pavés, la plage !）」（注1）だ。パリのカフェが軒を連ねる街角で、反体制運動によって、大学や政府などの体制側の欺瞞の象徴のような舗石を打破した先には、砂浜（自由）があるのだ、と言わんばかりに。

同じ一九六八年四月。ニューヨークのコロンビア大学では、ベトナム戦争と黒人差別に反対する学生たちが校舎を占拠する。同年四月四日には、アフリカ系アメリカ人公民権運動で知られたキング牧師が暗殺される。そんな反体制的なムードが残るなか、西海岸の都市シアトルでは、スターバックスが生まれている（一九七一年）。

その頃、日本でも大学闘争が激化していた。彼らの闘争には、日米安全保障条約が十年ぶりに改訂される一九七〇年を控えた、いわゆる七十年安保への反対運動という側面と、パリ大学のナンテール校のように、個別大学が抱えたさまざまな問題に対する学生たちの異議申し立てという、ふたつの側面があった。

東京大学では、医学部内でのインターン制度の変更に関わる異議申し立てから、全学的な闘争へと発展していく。こうした学生運動の波は各地で共鳴し合いながら、慶應義塾大学、早稲田大学などさまざまな大学に広がっていった。日本大学では「大学の二十億円の使途不明金」を問題視した学生たちによるデモが行われ、大学側の不正、欺瞞に対して、同世代の共感を得て、より大きな社会運動へと拡大していった。

学生運動だけではなく、ベトナム戦争への反対運動などを発端に、一九六八年十月二十一日、暴徒化した学生たちが角材などで武装して、新宿駅に集結し、機動隊と衝突。破壊活動などにより数百人の逮捕者を出した、いわゆる「新宿騒乱事件」も起きる。

翌一九六九年一月には、この時代の象徴的な事件として、東京大学の安田講堂を占拠していた学生たちが機動隊によって排除されるという事件が起こるが、全国各地の学生による反乱は次第に鎮圧されて、最終的な末路として、より先鋭化した過激派による内ゲバ(注2)など不毛な運動へと変容をたどることになる。

フランスでも、学生たちの闘争はベトナム戦争反対を訴えながらも、結局は全労働者、市民との連帯による社会運動にまで発展することなく、挫折のなかで収束に向かうことになる。こうして一九七〇年代には、若者たちの闘争と挫折の一部始終が終焉に向かった。この学生運動終焉の時代の空気は、スチュアート・ハグマン監督の映画『いちご白書(The Strawberry Statement)』(一九七〇年)によく描かれている。

3　食の総合出版社のこと

本郷の東京大学から南に数ブロック下った本郷三丁目に柴田書店という出版社があった（現在は、湯島に移転している）。一九五〇年に柴田良太によって創業された同社は、飲食業の経営書、料理の専門技術書などを多く出版してきた。

一九六一年には、日本の飲食産業の近代化をめざして『月刊食堂』を創刊。アメリカ最新のチェーンレストラン経営理論などを紹介しながら、当時、「水商売」として一段下に見られていた飲食業界の近代化、産業化をめざす。創刊当時の『月刊食堂』には、和洋中の料理レシピも多数掲載され、業界動向から店舗設計、経営、料理技術、サービスと、飲食業の全領域を網羅した雑誌だった。

また一九六一年当時、柴田書店は『欧風料理のヒケツ』田中徳三郎、『西洋料理』深沢侑史、『佛蘭西料理要覧』山本直文、『食物事典』山本直文、『ソフト・ドリンクスとアイスクリーム』

滝沢清、『メニュー・ブック』田中徳三郎、『オール・ドゥーヴル』田中徳三郎、『ウェイター・ハンドブック』加藤祥、『ホテル用英会話』内片孫一といった料理書やホテル、サービス関連の本を出版していた。

一九六三年には『月刊ホテル旅館』創刊。同年、『月刊食堂臨時増刊』として『喫茶店経営』第1号も発刊される。

まさに飲食・喫茶業界、宿泊業界、そしてコーヒー業界も高度経済成長の恩恵を受けながら、大きく成長した時代でもあった。

その時代を先取りしつつ、業界の牽引役として、業界の発展に大いに貢献した創業者の柴田良太は、一九六六年、志半ばにして全日空羽田沖墜落事故により亡くなってしまう。奇しくも同年、料理技術者のための『月刊専門料理』が創刊され、飲食業、宿泊業の経営から料理技術まで網羅した柴田書店の専門雑誌が出揃った年でもあった。

臨時増刊の形だった『喫茶店経営』は、一九七〇年春から季刊となり、一九七一年八月号からは、月刊誌になった。

飲食業全体が成長するなか、喫茶店だけに特化した業界誌が成立するほどに喫茶店も隆盛をきわめた。さらに、一九七三年にはコーヒーの専門店にだけ特化した『喫茶店経営別冊・コーヒー専門店』が、一九七四年には一般のコーヒー愛好家向けのムック『たのしい珈琲』が登場する。

『喫茶店経営』が『月刊食堂』の臨時増刊号という形で創刊された一九六三年から、一九七〇年代にかけてが、日本の戦後の喫茶店（コーヒー専門店も含めて）の隆盛期だった。学生たちが体制に反乱を起こしていた、まさにその時代、街場では喫茶店が増え続け、サラリーマンから学生まで、さまざまな人種に交流や憩い、商談の場所を提供した。

総務省統計局の資料によると『喫茶店の事業所数』は、一九六六年（昭和四十一年）に二万七千軒だったのが、一九七五年(昭和五十年)には、三倍以上の九万二千軒に。一九八一年(昭和五十六年）には、ピークの一五万四千軒に達した。つまり、六十年代後半から七十年代にかけて、日本の喫茶店の数は右肩上がりに増え続けていった。

六十年代から七十年代は、コーヒーブーム、喫茶店ブームの時代であり、学生たちによる政治の時代でもあった。アングラ演劇、暗黒舞踏、任侠映画からアヴァンギャルドな映画までの、さまざまな分野のアンダーグラウンドカルチャーとともに、コーヒーも喫茶店も既成概念に捉われない新しい時代の空気をいっぱいに吸い込んだことだろう。

そんな時代、安易な喫茶店開業希望者もたくさんいたようで、当時の『喫茶店経営』の編集後記にはこんな記述も。

「喫茶店を開きたいが相談にのってくれ、という問合せは毎日のように編集部にくる。喫茶店はよほど儲かる商売のようにうつるらしい。／外見は華やかでなかなか楽しい商売のように思えるが、毎年二割近くは、渋い顔をして、店を手放している現状も知ってもらいたい」と、警鐘を鳴らしている。

それでも八割は生き残る、活況を呈していたということだ。当時の誌面には、「新規開店の手引き」「喫茶店の販売促進」「喫茶店の開店指導」「事例に見る繁盛店の記録」「専門家が語る・店舗設計から繁盛店までの道しるべ」という特集名が踊る。

成長を続ける業界と随伴しながら、喫茶店の開業の指南役を担いつつ、啓蒙的な警鐘も鳴らすという、当時の業界雑誌の姿がそこにある。

また、一九七一年『喫茶店経営』十一月号には、同年の八月のニクソン・ショック(注3)を受けてということだろうか、「緊急特集・必至の不況に生き抜く経営理念」などという特集も組まれ、業界の好・不況に敏感な側面も見せている。

4　コーヒーをめぐる書籍

この時代、食の総合出版社を標榜している柴田書店からは、雑誌だけではなく、さまざまな書き手によるコーヒーの書籍も出版されていた。当時の同社の雑誌の自社広告から抜き出してみよう（引用ママ）。

『珈琲の道』井上誠（昭和四十七年。著者が、多年のコーヒーとの触れ合い、及びコーヒーの生い立ちと各国への伝播を通じて、その神髄を語る。）

『珈琲の書』井上誠（喫茶店に従事している方やマニアのためにコーヒーとコーヒーをいれる技術の歴史を著した書。）

『珈琲探索』伊藤博（若きコーヒーの研究者である著者が、これまで蓄えてきた多くの知識と情熱をこの一冊に傾注した、珈琲ファン待望の書。）

『コーヒー讃歌』伊藤博（コーヒーのイロハからその奥義までを楽しみながら理解できる。生産国ブラジルの貴重な未公開写真も掲載。）

『コーヒー小辞典』伊藤博（コーヒーに関する基本事項が全て網羅された、始めてのポケット版コーヒー辞典。喫茶店経営者・愛好家必携。）

『コーヒー実用ハンドブック』柴田書店編（コーヒーの生産から抽出、メニューに至るまで、現在第一線で活躍中の実務家十人が、それぞれのノウハウを披瀝。）

『コーヒー味覚管理の実際』小室博昭（栽培、収穫、積出、その厳しい品質管理について、コーヒー鑑定士の著者が、二十年の実績のすべてを披瀝。）

『コーヒー抽出技術』柄沢和雄（実務派ナンバーワンの著者が図表を駆使して抽出技術を全公開。プロの味創りを目指す人必携の虎の巻。）

『コーヒー器具事典』柄沢和雄（コーヒー器具を原理から解説し、代表的器具百点を、構造、使用法、手入れ、注意点などきめ細かくガイド。）

『コーヒーメニュー150選』小熊辰雄、柄沢和雄（コーヒーのメニューに関する初めての専門書。作り方をグラフ化し、初心者にも簡単にできるように工夫してある。）

『パリのカフェテラスから』高橋邦太郎（日仏文化交渉史家として知られる著者がパリのカフェテラスに腰を下ろして、珈琲・旅・歴史を楽しく語った。）

書籍広告の冒頭二冊の井上誠は、コーヒー研究家として先駆的な存在で、一九五〇年代から多数のコーヒー本を上梓している。また、『喫茶店経営』黎明期にも多くのコーヒーに関する啓蒙的な文章を寄稿している。コーヒー研究家としての井上誠の特長は、流麗な文章と、コーヒーだけにとどまらない文化的な教養の深さ、コーヒーの全体像に対する視野の広い見識にあった。柴田書店からだけではなく、コーヒーの名著を多数、上梓している。

この井上誠にはいささか、個人的な思い出がある。

雑誌の編集者時代に、故人となった井上の追悼記事を書くために、氏のお宅にお邪魔した折に、蔵書の『オール・アバウト・コーヒー』一九三五年再版の原書を拝見したのだ。その原書には、いたるところに細かい鉛筆の書き込みが施されていた。

稀代のコーヒー研究家にして詩人でもあった井上の、情熱と信念がその鉛筆の筆跡にありありとうかがい知れた。

コーヒーの雑誌に寄せた彼の一文がある。一九七五年に柴田書店から出された『たのしい珈琲2』に掲載された「オール・アバウト・コーヒーとの出会い」だ。そこに、この書に寄せる詩人の真情が述べられている。詩人はまず、『オール・アバウト・コーヒー』の扉にある、"To My Wife HELEN DE GRAFF UKERS" という献辞に目を留めた。ティー&コーヒー・トレード・ジャーナル社におけるユーカーズの公の仕事が、かけがえのない家族に捧げられたことに井上は感銘を覚えた。

当初、ユーカーズについて「彼はけっきょく業界の奉仕者ではあるまいか」という疑念を抱いていた井上は、そうではなかったことに気づく。「この本はまさにコーヒーの世界であり、あるいは土壌であり、その記事は単なる羅列ではなく、知恵と観察を目覚ませてくれる、一種の警声ですらあった」。

そして、ユーカーズの本を密林に喩えて、「この密林を愛するならそれでいいであろう。木の間から差し込んでくる一筋の日光に、新しく美しい花を見出す。ユーカー(ママ)よ、こんないい花が咲いていたよ、ご覧なさい、と誰かが言ってあげないだろうか。」とこの一文を結んでいる。

『珈琲探索』の伊藤博と『コーヒー抽出技術』の柄沢和雄は、ともに日本コーヒー文化学会の創設メンバーでもあり、伊藤はサイエンスと文化を融合した視点から、柄沢はコーヒーマンとして実務家の視点から、それぞれ多くのコーヒー専門書を上梓した。

こうした著者たちが雑誌とともに、七十年代、八十年代のコーヒーシーンをサポートする専門書の黄金時代を築いたと言える。

いっぽう、雑誌も、広く喫茶店の経営者向けのものから、コーヒー専門に特化した雑誌、一般のアマチュア愛好家向けのコーヒー雑誌まで登場し、日本のコーヒー文化の成熟と喫茶店文化の隆盛を映し出す鏡のような、そんなにぎやかな出版状況だった。

5　コーヒーの雑誌『blend』

一九八一年、喫茶店の事業所数は、十五万四千軒をピークとしてゆるやかに減り始め、やがて戦後経済成長期も終焉を迎え、その後のバブル経済と崩壊後、さらに減り続け、二〇一四年には、ピーク時の半分以下の七万軒にまで減少している。

そんな「喫茶店没落時代」の始まりの時期に、一九八二年『喫茶店経営別冊』という形で、『blend』No.1(注4)は刊行された。

柴田書店に一九八一年に入社したぼくは、翌年には『blend』No.1のスタッフとして編集に参加した。

コーヒーの雑誌『blend』は、一九七四年に刊行された『たのしい珈琲』と同様に、喫茶店経営者向けの雑誌ではなく、一般向けの雑誌だった。ただ、『たのしい珈琲』が一般のコーヒー愛好家向けだったのに対して、『blend』は、より熱狂的なコーヒー愛好家(編集長の山内秀文によると「コーヒー・オタク」であり、コーヒーの世界のオピニオン・リーダー)たちに向けた雑誌を標榜していた。

その目次には、コーヒーの「焙煎技術」を中心とした技術の全体像、産地の最新情報、喫茶店の批評付きガイド、コーヒー文化に関する論考、硬軟取り混ぜたマニアックなコーヒー雑学などが並んだ。

一九七〇年代には、喫茶店ブームはピークを迎え、同時にコーヒーという飲料も、すっかり身近なものになっていた。七十年代も半ばには、普通の喫茶店より「専門的」なカテゴリーの店として「コーヒー専門店」と呼ばれるタイプの店が増えてきた。その時期に生まれたのが、一九七四年に出版された『たのしい珈琲』だった。コーヒーの楽しさを、より一般の人に親しみやすく伝えようとしていた。まさに、「たのしい」コーヒーだ。

それが八十年代に入ると、さらに「専門的」なカテゴリーとして、自分の店でコーヒー焙煎に取り組む「自家焙煎店」と呼ばれるタイプの店が目立つようになってくる。もちろん、以前から例外的な存在として自家焙煎に取り組んでいる店もあったが、より若い世代でこのジャンルに挑戦する店主が増え始めたのだ。八十年代になってからの自家焙煎店ブームとともに、プロとアマチュアの垣根を超えて、技術や文化の面でもっと本格的に掘り下げた誌面作りを目指したのが『blend』だった。

ためしに『たのしい珈琲』1号（一九七四年）の目次を覗いてみると、コーヒー好きの著名人たち（作家、漫画家、俳優、音楽家、映画評論家、落語家など）がずらりと並び、それぞれ自分の好きなコーヒー談義を繰り広げるといった構成になっている。

対して『blend』No.1では冒頭に、日本を代表する自家焙煎店の店主によるコーヒーの焙煎にかける哲学と技術が、カラー口絵のなか、小さな文字でこれでもかというほどたっぷりと詰め込まれたページが続く。さらにエチオピア、イエメンのコーヒー産地をめぐるレポートから、小樽と金沢のふたつの老舗の喫茶店のルポルタージュ、コーヒー文化の研究者たちによる論考、エッセイ、そして「全国珈琲屋171選」と続く。

このガイドは全国と銘打って北海道から沖縄まで、自家焙煎店のコーヒー店を中心にしたセレクトで、「よい、正しい、すぐれた」コーヒーを出す店を紹介するという編集方針のもと、ときに皮肉のきいたユーモアを駆使しながら、批評的なガイドを目指していた。店の選択基準の「自家焙煎の店」を重視するという姿勢もそれまでの雑誌にはない特徴だった。

それまでのコーヒー技術の中心的なテーマが、抽出やブレンドなどにあったのだとすれば、「焙煎」こそがコーヒーの鮮度を含めた品質と味に関わるものだ、という主張が『blend』にはあった。

6　異彩を放った著者

『blend』編集部時代、ぼくはある著者と出会った。それから数年に渡って、ほかの媒体でも一緒に仕事をさせてもらった森尻純夫だ。

一九八〇年代、学問の世界でフランス最先端の現代思想などをベースに、既存の学問ジャンルにとらわれない社会・人文科学系の若手の研究者たちが、出版メディアに続々と登場し始めた。マスコミは彼らのことを「ニューアカ（ニュー・アカデミズム）」ともてはやした。そのブームの下準備をしたと言われる当時の思想界のスーパースター的な存在だった文化人類学者の山口昌男のもとで、新しい民俗芸能研究に取り組んでいたのが森尻だった。

『blend』No.1に寄稿してもらった「芝居も珈琲もぼくの祝祭」という不思議な表題のエッセイがある。

当時の彼は、民俗芸能研究者として、岩手県稗貫郡大迫町（現・花巻市）の早池峰神楽を研究対象にし、同時に、「銅鑼魔館」という小劇団を主宰し、さらに「早稲田銅鑼魔館」という劇場を運営する演劇人であり、「早稲田銅鑼魔館」の入る同じビルに本格的な自家焙煎コーヒー店「あんねて」を構える店主でもあった。まさに「マルチ人間」であり、八十年代の「ニューアカ」に多くいた学際的、ジャンル横断的な新しいタイプの研究者であり実践者だった。

彼との出会いが、ぼくのその後のコーヒーをめぐる脱線だらけの迷走する旅に繋がっている気がする。

『blend』No.2 の当時、「ニューアカ」世代のドンのような存在だった山口昌男と森尻の対談「コーヒーをめぐる小宇宙」での、町の曲がり角に位置する喫茶店は、異なるものが出会う「逢魔が辻」（注5）のごとき怪しげな存在だ、としたふたりの話が新鮮だった。

さらに、ふたりの話は名曲喫茶からノーパン喫茶まで縦横無尽に展開していった。

また、森尻は同号で、ヨーロッパに輸出された有田焼のコーヒー茶碗をめぐる論考「伝統陶磁器の中の珈琲碗皿」も寄稿している。朝鮮半島からもたらされた陶磁器が、ヨーロッパの王立窯に影響を与えた物語は、その後、彼自身の小説「青花秘剣」（『月刊喫茶店経営』一九九二年七月号に掲載）へ繋がっていく。

『月刊喫茶店経営』一九八五年二月号から一九八六年一月号までの連載「ランブル伝説」でも、森尻と一緒に仕事をした。銀座の名店「カフェ・ド・ランブル」の関口一郎の取材は、とりわけ思い出深い。関口の自宅を取材したとき、庭でアーチェリーの練習をしたり、温度・湿度が管理された保管室で何十年も熟成させたコーヒーの生豆のストックを拝見したり。さらに驚きだったのは、そんな貴重な生豆を、いざ焙煎する直前に惜しげもなく、ぽいぽいとハンドピックして床に捨てる光景など、いまでもまざまざと思い出される。

一九八六年、この連載は平凡社のムック『太陽スペシャル　珈琲博物館』に掲載された「日本モダニズムの仕掛人たち　一九二〇〜三〇年代の文化とコーヒー」として引き継がれ、最終的には単行本『銀座カフェ・ド・ランブル物語　珈琲の文化史』（TBSブリタニカ／一九九〇年）という形に結実する。

コーヒー屋として、コーヒーそのものに寄り添いながら、時代の文化と併走した森尻の店「あんねて」は、どんな店だったのか。ぼくが書いた紹介文から引用してみたい（『blend』No.1「全国珈琲屋171選」より）。

「早稲田大学のすぐ近く、以前早稲田小劇場があった同じ場所に、劇場をも呑み込んだ四階建てのビルが建っている。この一、二階が『あんねて』というコーヒー屋であり、三階の劇場は『あんねて』の主人、森尻純夫氏主宰するところの銅鑼魔館のホームグラウンドなのだ。／芝居の話はここではおいて、コーヒーだが、ちょっとした工場といってよい設備の焙煎機で豆が焼かれている。／店に出されているストレート（三一〇〜四九〇円）の種類がなんと、四十種以上もあることにまず驚かされる。／もちろんこれだけそろえているので、鮮度に気を使う以上、極端に少量しか焼かない豆も多く混じっている。チモール、カメルーン、チャイナなど聞きなれぬ産地のコーヒーもあり、ついつい試してみたくなる。ブレンドも三種（二八〇〜三〇〇円）あり、客の多様な嗜好に対応できるだけのふところの深さを感じる。／焼き具合は全体的にやや深煎り（シティローストからフルシティの間）で、それを中挽きにし、ペーパードリップでおとす。／中米系の豆をベースにしたマイルドブレンドは、かすかに酸味が残り、これが適度な苦味と協調しあって、かたよりのないバランスのよさを特徴としている。おおむねどれも、口当たりがよく、ブラックでも飲みやすい良質のコーヒーとなっている。」

7　二十一世紀のコーヒー文化

早稲田大学のそばにある学生街の喫茶店から、時代はジャンプして、二十一世紀に。日本の喫茶店の数が一九八一年をピークにして、その後、現在に至るまで右肩下がりで減少し続けていることはすでに書いた。
そんななか、『月刊喫茶店経営』は一九九三年九月号をもって二十一世紀を見ることなく、廃刊となった。画一化された地方における駅前再開発、郊外のバイパス沿いのショッピングセンターの出現などにより、かつての繁華街は没落し、昔ながらの喫茶店も書店も映画館も、若者たちの声も、日本の喫茶店黄金時代とともにあったこの雑誌も消えた。

もちろん、戦後の高度経済成長のなか、日本のコーヒーは、喫茶店や家庭だけではなく、全国を縦横無尽に走る高速道路で長距離トラックの運転手たちが集う深夜の自販機の場所にしぶとく居場所を見つけた。そんな日本のコーヒーの風景を、中島みゆきが「流星」で歌い上げたのだった。

いっぽう、喫茶店の数は減り続けても、コーヒーの生豆の輸入は堅調だ。それはもちろん、家庭でレギュラーコーヒーが飲まれているということ以上に、コンビニや自販機など、さまざまな場面で販売される工業製品としてのコーヒーの消費が拡大しているからだ。いまや日本人の生活に、コーヒーはなくてはならないものになっている。そのことは間違いない。
昭和的な町場の喫茶店は、狂気じみた地価高騰や都市の再開発の荒波に耐えかねて減少の一途をたどったが、いっぽうで、一九九六年に日本に上陸したスターバックスコーヒーなどに刺激を受け、日本のコーヒー業界もアメリカ西海岸風の「カフェ」に取り組み出す。

さらには、サードウェーブとも呼ばれるアメリカのムーブメント経由で、もともと日本発と言われた「ハンドドリップ文化」が凱旋帰国を果たした。七十年代から八十年代にかけての自家焙煎ブームは、世代を越えて、二十一世紀に復活したと言えるだろう。喫茶店、カフェのあり方も、都市のニッチな空間を上手に活用した「小商い」が、知恵とセンスを競うように、にぎやかな現在がある。

早朝から深夜まで、さまざまなタイプのカフェがいまの日本で店を開いている。アメリカ発祥のサードウェーブだけではなく、エスプレッソマシン旋風が吹き荒れても、生き残ったコーヒー専門店が連綿とつないで来たマイクロロースターとハンドドリップという日本的なスタイルは、やがて世界に影響を与えた、とぼくは思う。

戦前から続いて来たネルドリップによる抽出や、家庭用に開発されたペーパードリップを営業用として使ってきた古い日本のコーヒー店のあり方は、ありとあらゆるものがスピード化、簡便化、機械化、そして工業化してゆく二十一世紀において、スローなテンポで、人間性を回復しようという文脈での最先端の「クラフトマンシップ」と合流する形で、現代に復権している。

コーヒーに異常なまでの情熱を傾けてきたこの国の先人たちの思いが連綿として伝えられたのだ。

8 新しい雑誌の登場

二〇一七年の四月のある日。『Standart』(注6)という聞いたことのないコーヒー雑誌の編集部のMさんから、ぼくのFacebookにメッセージが届いた。なんと、スロバキア発祥のコーヒーの雑誌だった。

「コーヒーの風景を描いた詩と、カフェの写真と組み合わせたページを企画したいのですが、木下杢太郎、北原白秋、吉井勇、寺山修司とピックアップして、現代の詩人の詩も探していたのです。ネット上で発見したあなたの詩を寄稿してほしい。ただし、明日が締め切りなのですが」というものだった。

ぼくは、驚くとともに、ビッグネームの詩人たちとの共演にすっかり気をよくして、快諾して、自著『きみの砦から世界は』のなかから、この詩編を選んだ。

あんなにも光をたたえた雲が
空を泳いでいく

手のひらに水をすくって
ぼくたちは飲み干していく

断定よりも深く
懐疑よりも広い
予感が満ちてくる

ここではない　どこでもない

天体の秘密が
しずかに湧き出てくる午後

二つのコーヒー茶碗を置いて
空をながめる
ぼくたちの夏が過ぎていく

（『きみの砦から世界は』小山伸二／思潮社／二〇一四年／cloud nine より引用）

この詩には、「ONIBUS COFFEE 中目黒店」の素敵な写真が組み合わされていた。二〇一七年二月に日本版が創刊されたこの新しい雑誌は、まるで東ヨーロッパから極東のこの国に贈り物のような新しい風を届けてくれた。

『Standart』には、アメリカ発のサードウェーブとも微妙に違う音色のリズムとメロディーを持った、多文化共生と多様性、そして持続可能性などの問題意識をまとった記事があふれている。

コーヒー飲用文化の発祥の地でもあるイエメンの、内戦に明け暮れる現在における苦境に思いを致すとき、本来は平和に寄りそうべきコーヒーから見える世界の困難さに胸ふさがれる思いだ。

それでも、なけなしの希望をかき集めて、前に進みたいぼくたちのコーヒー文化の旅は終らない。その旅の傍にこの新しい雑誌を置いて、ぼくのきわめて個人的でささやかな論考をお開きにしたい。

この章は、「コーヒー文化論 1968/2018」(日本コーヒー文化学会『コーヒー文化研究』第25号掲載、二〇一八年)を大幅に加筆・修正したものです。

第4章　「詩とコーヒー」試論

1　禁酒法の国のコーヒー

コーヒー本の決定版とも言える怪物じみた本、『オール・アバウト・コーヒー』はニューヨークで一九二二年に初版が、一九三五年に改訂第二版が出版された。

著者のウィリアム・ハリソン・ユーカーズ William Harrison Ukers は、コーヒー、茶、スパイス関連の業界誌の編集者を経て、一九〇一年に月刊誌『ティー・アンド・コーヒー・トレードジャーナル』を自ら創刊した。そのかたわら、研究者や業界団体の協力を得ながら、この驚異的な大著を完成させた。版元は、自身が作った「THE TEA & COFFEE TRADE JOURNAL COMPANY」である。

この本が出版された第一次世界大戦後の一九二〇年代は、忍び寄る経済恐慌や、ファシズムの台頭といった不穏な空気に満たされていた。いっぽうで大衆消費文化は、物騒な時代に拮抗するかのようにその狂騒のボルテージを上げていき、時代は「ジャズ・エイジ」(注1)と呼ばれた。

また、一九二〇年から三三年まで禁酒法(注2)なる法律をこの世のものとなしたアメリカ合衆国は、人類初の総力戦で疲弊した旧大陸の国々を尻目に、非アルコール飲料のシンボルでもあるコーヒーの輸入量、消費量とともに成長を続け、一大コーヒー大国になった。

一九三五年のユーカーズの序文によると、コーヒー生産地で取材し、調査員を雇ってヨーロッパの主要な図書館、博物館で集めた資料を十年かけて整理・分類し、そこから四年かけて初版を仕上げた、とある。

さらに第二版を作るために、一年半かけてコーヒー類語集、コーヒー年表、コーヒー辞典、二千項目に及ぶ著者名と参考文献、一万を越える索引などを追加した。まさに、持てるエネルギーのすべてを注ぎ込んで、B五判で二段組八一八ページのボリュームの改訂第二版は出版されたのだ。


改訂第二版の目次から見てみよう。

第1部（Book1）から歴史、技術、科学、商業、社会、芸術と第6部（Book6）まで分けられ、さらにそれぞれに章（Chapter）が配されているが、章番号は全編通し番号になっており、1章から38章まで続く。第1部「歴史」では、13章まで。第2部「技術」は14章からで、第6部「芸術」は37章、38章の二章で終わる。

著者ユーカーズのキャリアが業界誌から始まったこともあってか、この本自体、業界人、コーヒー関連産業のプロ向けに書かれている。

ただ、業界人向けとはいえ、歴史、文化面の記述も多くあり、37章「文学におけるコーヒーの歴史」第1節「詩におけるコーヒー」"Coffee in Poetry"では、十六世紀のアラビアから始めて、フランス、イタリア、オーストリア、イギリスの詩人たちの詩を逍遥し、最後に二十世紀の同時代のアメリカの詩人たちの「コーヒー」を「主題」にした詩が、総計三十篇、紹介されている。


かつて、コーヒー研究家の井上誠が、ユーカーズの本を「密林」のようだと書いたが、その密林のなかで詩を探索するために、UCC上島珈琲が監修・翻訳した日本語完訳版『オール・アバウト・コーヒー』（TBSブリタニカ／一九九五年）は頼もしい相棒だ。なお、この日本語版は決定版とも言える改訂第二版を底本としている。

このUCC上島珈琲による日本語完訳（B五判九二八ページ）の偉業は、九十年代における一企業のなし得た後世に残る文化事業だった。

ここから、『オール・アバルト・コーヒー』37章の「詩におけるコーヒー」"Coffee in

Poetry" の密林に分け入ってみよう。

ユーカーズが紹介した三十篇の詩のタイトルを並べると以下の通りになる。著者名等の表記は原則として、UCCの日本語版に準じることにする。詩篇のタイトルに、便宜上、通し番号を振ってみた。

［アラビア］

1「コーヒーを讃える」

2「コーヒーを讃える（1の詩の韻を踏んだもの）」

3「コーヒーとの親しき交わり」

［フランス］

4「コーヒー」ギローム・マシュー

5「無題」ベリジ

6「神の飲み物なるコーヒー」ジャック・デリーユ

7「無題」（ガランに捧げた詩）モームネ
8「植物」カステル
9「コーヒーの詩」作者不明（十八世紀の詩人）

［イタリア］
10「今日・昼」ジュゼッペ・パリーニ
11「今日・朝」ジュゼッペ・パリーニ
12「清貧」教皇レオ十三世

［ウィーン］
13「いざ、コーヒーハウスへ」ペーター・アルテンベルグ

［イギリス］
14「コーモス」ミルトン
15「無題1」アレクサンダー・ポープ

16「無題2」アレクサンダー・ポープ
17「髪の毛ねずみ」アレクサンダー・ポープ
18「貧しきアフリカ人への憐れみ」ウィリアム・カウパー
19「コーヒーの苗木」(ド・クリュー大佐の冒険談)チャールズ・ラム
20「帽子と鈴」ジョン・キーツ
21「コーヒーとクランペット」ランスロット・リトルドゥー
22「街の鼠と田舎の鼠」プライアとモンターギュ
23「天下無敵の君主、カウヘー王に捧げる」ジェフリー・セフトン

[アメリカ]

24「お袋の味のコーヒー」ジェームズ・ウィットコム・ライリー
25「コーヒー」(『携帯用酒瓶と細口瓶』より)フランシス・サルタス・サルタス
26「コーヒー」(『ブラックコーヒーを飲みながら』より)アーサー・グレー
27「コーヒー頌歌(しょうか)」ウィリアム・A・プライス
28「ギルバート・K・チェスタートン風コーヒーに乾杯」ルイス・アンターメイヤー

29「妻なら誰でも承知ずみ」ヘレン・ローランド
30「不平の理由」バートン・ブレーリー

アラビア

十六世紀のアラビア語で書かれた詩を吟味してみよう。

ユーカーズは、アラビアの詩を『コーヒーの合法性に関する潔白』(以下、この章では『潔白』とする)からピックアップしている。この『潔白』は、第1章の注5でも紹介したコーヒーの起源について書かれた最も重要で、有名な本として知られている。その『潔白』に、十六世紀前半に巻き起こったコーヒーへの弾圧に反論するために書かれた詩篇が採録されている。

メッカでコーヒーが弾圧された時代、詩は、社会的には重要な意味を持っていた。当時のイスラーム社会のなかでは、詩の「言葉」への信頼はきわめた高かったからだ。詩の実用性が、現代の、とりわけ日本の状況と比べると比較にならないくらいにあったと言えるだろう。

ユーカーズは、『オール・アバウト・コーヒー』の第37章「文学におけるコーヒーの歴史」冒頭で、パリ国立図書館で撮影した『潔白』の数ページを掲載したうえで、アラビア語からの英訳を試みていることを示している。

1と2の二篇は、同じ詩で、韻を踏んでいるかいないかの違いがあるが、ここでは韻を踏んでいない方の詩を紹介しよう。

コーヒーを讃える（アラビア語からの翻訳）

ああ、コーヒー。すべての憂いを追い払う。勉学する者、それを望む。
神の友の飲み物。それ飲まば、知恵を求める者に健やかさをもたらす。
木の実の慎ましき殻から作られたりて、香りは麝香（じゃこう）、色は墨。
聡明なる者、泡立つコーヒーを飲み干さば、それのみ真実を知る。
救いがたき頑迷さによりてコーヒーを難じる者から、
神がコーヒーを奪い去らんことを。
コーヒーは我らが金（きん）。それ供されたれば、
気高く心の広き仲間の集い楽しめん。

飲まんかな。無垢なるミルクのごとく無害にて、
ただ異なるは黒きことのみ。

ここに引用した詩が、「同時代のすぐれた詩人たち」のものだと言われても、ぼくにはそれに応答する言葉も感想もないが、『潔白』によれば、この詩が、コーヒーの合法性を主張するために重要な根拠になったのだ。

コーヒーに対する、一五一一年のメッカにおける「宗教的弾圧」事件に関しては、ラルフ・S・ハトックスによる『コーヒーとコーヒーハウス—中世中東における社交飲料の起源』に詳しい。十六世紀のアラビア半島で見られたコーヒー弾圧とは、コーヒーそのものに対する弾圧というよりも、コーヒーを飲むために人が参集すること自体に不信心な空気を嗅ぎとった為政者による政治的弾圧の動きであった、とハトックスは指摘する。

ただコーヒーにあたるアラビア語「カフワ」は、古くは果実酒すなわちワインを含む言葉であったにせよ、人を酩酊させるアルコールと、覚醒させるコーヒーとを同じものだと言い張ることは、白を黒、黒を白だと言い張るほどに、現実的に無理があった。両者の違いは、

飲みさえすれば明らかなことであったから。

だから、コーヒー飲用の習慣が定着していく十六世紀に何回も試みられた、当局によるコーヒーおよびコーヒーハウスへの弾圧は、「ワインのように明らかに非合法な商品」の消費ですら完全には抑え込むことができなかった当時の状況からいっても、最終的には失敗に帰したのだ。

ワインすら取り締まりきれないのに、「コーラン(注3)」のどこをさがしてもコーヒーに関する言及はない。なぜなら、預言者ムハンマドが神の啓示を受けた時代には、まだ「コーヒー」は発明されていなかったのだから。

ムスリム（イスラームの信者）が「コーラン」とともに、その規範のよりどころにしている第二聖典「ハディース(注4)」（ムハンマドが日常生活のなかで語った言葉や行動をまとめたもの）にもコーヒーは登場しないわけで、このことは、後世のイスラーム法学者の間でもとかく議論の的になり、その解釈も恣意的にならざるを得なかった。

結局のところ弾圧は、宗教的な関心を装いながら、政治的な意図のもと、フランス革命において実証された「社会的な機能性において、コーヒーが誘発する人間関係のありようの具象化であるコーヒーハウス」に対し、繰り返し行われたのではないか、とハトックスは分析する。

その政治的意図がどうであれ、アラビアの地ですでに飲用習慣が定着してしまっていたコーヒーを、当局は民衆から奪うことはできなかった。第一聖典(「コーラン」)、第二聖典(「ハディース」)において、コーヒーに言及がない以上、これを「神」による明確な禁止の対象とするわけにはいかなかったのだ。

十五世紀に登場した飲料、コーヒー。

古代ローマの大詩人のウェルギリウス(注5)も知らない、そしてこの列島の万葉の歌人たちも知るよしもなかった「コーヒー」を、最初に題材にしたのが十六世紀のアラビアの詩人たちであった。

コーヒー擁護派は詩人たちに対し、体制側に対抗すべく、神がコーヒーを認め、祝福していることを作品化することを求めた。

コーヒーの詩は、政治的な抑圧と宗教的な嫌疑に立ち向かう「文学的な」予言であり、確証だったことだろう。だからこそ詩人は、政治に向かっても、宗教に向かっても、コーヒーは「神の友の飲み物」と明言し、返す刀で「救いがたき頑迷さ」によって「コーヒーを難じる者」から「神がコーヒーを奪い去らんことを」と言い放ったのだ。

神の名において、コーヒーの持つ正当性は、この詩では自明であり、コーヒーを非難するものに対する神の罰は、他でもないその神からの賜り物である「コーヒー」を奪い去ることにある、という徹底的な正当性の表明である。

だから、この最初の一篇は、時代の要請によく応えた作品と言えるだろう。

コーヒーハウスにたむろする、いろいろな階層の人間すべてが敬虔な信者ではなかっただろうが、コーヒー飲用の発明者であったスーフィーたちのイメージが、そのままコーヒーを愛好する有象無象にも付与されたのだ。つまり、信教における敬虔な態度によって生じた「勉学する者」「知恵を求める者」「気高く心の広き仲間の集いを持てる者」といったイメージが。

実態は、不信心者で隠れて飲酒もしたり、反社会的なよからぬことをたくらんでいるのかもしれない男どもでも、ひとたびコーヒーを手にすれば、おいそれとは批判できない何者かに見えてしまう。そんな魔力のイメージが、当時の一流の、自身もそのコーヒーのとりこになったであろう詩人たちによって、供給されたのだ。

日本でも、一九七〇年代以降、一世を風靡したインスタントコーヒーのコピーで「違いがわかる男」というのがあった。各界の著名な男たちをテレビCMに登場させ、コーヒーが理知的で、できる男の飲み物であるかのように表現していたが、この訴求の構造は、十六世紀のアラビアの詩人たちの詩にその源泉を持っていたかもしれない。

では、アラビア語で書かれた次の詩3「コーヒーとの親しき交わり」を見てみよう。

コーヒーとの親しき交わり（アラビア語からの翻訳）

来りてコーヒーとの親しき交わりを愉しまん、
その育ちたる場所にて。
宴に加わりたる者、至福に包まれん。
そこにては優雅なる絨毯、人々の楽しき営み、
客人たちの集いあり。これすべて、
祝福されたる者の住み処をあらわす。

それ神酒なりて、コーヒー注ぎたる碗、
差し出されたれば、
いかなる悲しみもあらがえず。
アデンがその誕生を見しは、
さほど遠からず。疑いあらば子らを見よ。
その顔、初々しく輝く。
コーヒーの育ちたるところ悲しみなし。災いは
その力に慎み深く道を譲る。
それ、神の御子の飲み物。
健やかなることの源。
その流れ、悲しみを流し去る。
その熱きこと、悲しみを燃え尽くす。
皿にて豆を煎り飲み物作るありさま
見たれば、樽に入れたる果実酒、
ただ嫌悪あるのみ。

美味なる飲み物、その色は
無垢なることの証し。
道理は味方なりて、
その真っ当なることを告げる。
己を信じて飲まん。愚か者の言葉、
耳をかすなかれ。ただ、あるは
ゆえなき咎(とが)めのみなり。

この詩で目を惹かれるのは、コーヒーを「神酒」と呼んでいることと、樽に入れられた「果実酒」に対して「嫌悪あるのみ」と、わざわざ攻撃していることだ。

十六世紀のアラビアの詩人たちに賞讃されたコーヒーは、あとは「己を信じて飲まん。愚か者の言葉、耳をかすなかれ」と畳みかけられたら、ハーイル・ベグのような「狂信的」なまでに「敬虔な」コーヒー反対論者による取締りが厳しかろうと、飲まずにはいられなかっただろう。

しかも、ひとりではないのだ。コーヒーの「宴に加わりたる者」は、みんな「至福に」包まれるのだから。

ちなみに、「樽に入れたる果実酒」の部分は、ユーカーズの英訳では、"wine and liquor from casks" とあるので、もちろんワインが含まれている。

『ワインの文化史』（ジャン＝フランソワ・ゴーティエ／八木尚子・訳／白水社文庫クセジュ／一九九八年）によれば、「文明の歴史を遡るかぎり、葡萄とワインはつねに存在し、葡萄栽培はまずカフカス山脈の斜面で、次いでメソポタミアで、エジプトでも紀元前三〇〇〇年頃から葡萄を栽培していた。ヨーロッパでは、古代ギリシア人がシチリア島やイタリア半島南部に葡萄を移植し、ワインづくりを広めた」という。

つまり、十六世紀のアラビアの詩人たちが描いたのは、古代からの葡萄酒の「神酒」の地位をコーヒーが奪い取るというヴィジョンだったのだ。

この時代のアラビアの詩人たちは、古代の葡萄酒を賞讃する数々の詩篇を知った上で、真に彼らの「神」の友の飲み物であり、その御子の飲み物であるコーヒーの詩をつくるときに、葡萄酒を、詩の表現上における仮想目標ないしは仮想敵にしたのだ。

果実酒、葡萄酒への嫌悪、非難は、その後のヨーロッパの「コーヒーの詩」にも受け継がれていくことになる。

以上二篇のアラビアの詩から、最後にコーヒーに関する表現を抜き出してみよう。

［コーヒーの効能］

憂いを払う
健やかさをもたらす
真実を知ることができる
ひとを慰める
神よりの恩恵を得られる
喉の渇きをいやす
いかなる悲しみもあらがえず
災いは慎み深く道を譲る

［コーヒーのイメージ］

神の友の飲み物
我らが金
無垢なるミルクのごとく無害
愛されし香り高き飲み物
芳しきこと麝香（じゃこう）のごとく
黒きこと煤墨のごとし
我が宝
神の御子の飲み物
その色は無垢なることの証し

3　コーヒーのウェルギリウス

ここからは、アラビアから伝播された十八世紀以降のヨーロッパのコーヒーの詩を見てみよう。

フランス

まずは、フランスの詩から。

一七一八年、フランス人ギローム・マシュー（アカデミー・フランセーズ（注6）の会員。生年没年が不記載）のラテン語による詩集『コーヒーの歌』に収められた「コーヒー」。この詩をユーカーズは英訳（大英博物館所蔵のラテン語原本よりの翻訳）している。この詩は、原書で三ページ半、日本語版において五ページを費やし、十八連、百五十行を越える長編詩である。長いので抜粋しながら紹介する。

一連目の四行。「素朴なる詩で語る」という前口上で、この長い詩は始まる。

コーヒーがいかにして我が国に伝わりしか、
この神の飲み物はいかなる性質があり、いかにして飲むか、

あらゆる災いからいかにして人を即座に助くるか、
素朴なる詩でここに語らん。

二連では、神にこう呼びかける。

ああ、神よ。ここに在(ま)しまし認めたまえ。
薬草、健康によき樹木の力はあなたの賜物。

そして、コーヒーの力によって、「人の身体より悲しき病いを追い払え」と祈る。同じ連のなかで、コーヒー飲用の発明の地であるイエメンについては、こう表現されている。

遥かなるリビアの彼方、豊かなるナイルの七つの河口の彼方、
喜ばしくもそこ広大なる野となりてアジアが広がる。
さまざまなる富に満ち、香りよき樹木が生い茂る。
浩々(こうこう)たる大地。古代シバ人の住みたるところ。

後半で、コーヒーノキの特長が歌われる。

地面より真っ直ぐに延びる。果実たわわに実りて枝は垂れる。
豆のごとく小さく、色は黒くくすむ。

このコーヒーノキの栽培をヨーロッパでも栽培を試みたが難しかったのだ。二連目の終わりはこう結ばれる。

か弱き木、ほどなくし根は萎（な）える。
風土が合わぬか、やぶさかなる土地、
適ったる養分を異国の植物に与うるを拒むか。

三連、四連では、栽培適地のイエメンを語り、やがて世界にコーヒー産地が拡大していくことを語る。この詩の書かれた十八世紀前半には、インド、アメリカ、東インド諸島、東南アジアへと産地も広がっている。

遥かなるアラビア、それを生む寛大なる地なり。
人に慰めを与えしこの飲み物、かかる土地より流れ出たりて、
他の地の人々に伝わる。さらに、ヨーロッパとアジア全土に至り、
ついで、世界じゅうに広まりたり。

（三連）

畑より作物採り入れたれば倉にて蓄える。
しかして、来るべき年に目を向けるなり。

（四連）

五連は、「話かわりて」と、言いおいてから、実用的なコーヒーの道具の話、コーヒーの挽き方、
淹れ方の細かい講釈が続く。
焙煎についての記述はこうだ。

コーヒー豆を炎にてよく煎りて、煎り上がらば粉にする。
槌にて幾度も叩き潰したりて、固きものなくなり、
ことごとく粉にならば止めん。細かき粉末なり。

と、記述したあと「すぐさま」粉を袋か箱に入れ、さらに革にくるみ、蝋を使って密封せよと、細かい指示がある。そしてこの密封作業を怠ると、せっかくのコーヒーの「大事なる成分」が「むなしく空気の中に消える」と注意を促す。

この五連はなかなか実用的である。

六連では、五連で槌で叩き潰す方法のほかに、「ミル」を使って粉にする方法が紹介される。

七連になると、コーヒーの淹れ方も大事だが、もっと重要なことが「飲み干す時刻」だと、展開をみせる。

だが、かかることは些細なりて、さほどかかずらう要なし。
さらに大事なことあり。美味なる飲み物を飲み干す時刻なり。
明け方の新しき日の陽光を浴びながらもよし。
早朝は飢えたる胃袋、食べ物を求める。
豪勢なる食卓での豪華な食事の後もよし。
詰まり過ぎたる胃袋、食べ過ぎに苦しむ。
その身勝手に似つかわしくなくも、外からの熱き力の助けを求むる。

と、モーニングコーヒーを推奨し、なお「豪華な食事」の後の、食べ過ぎた胃袋にもコーヒーがいいと、懇切丁寧だ。

さらに七連では当時のコーヒーの抽出法が描写される。

さあ来たれ。火の上にてポットは赤く染まる。
火がパチパチはぜる。見よ、液体が膨らむ。

コーヒーの粉が混ざりて、縁に泡溢るる。

こうして、湯とコーヒーの粉が十分に混じり合う、と。

八連は、コーヒーの飲み方の指南となる。その要点を抜き出すと、以下のようになる。

・ポットを火から下したら、粉が底に沈むのを待つ
・一口飲んで、火傷しないように、ゆっくりと啜りながら飲む
・香りを鼻孔より吸い込んで、その芳しさに大いなる喜びを感じる

九連は、「神の飲み物」であるコーヒーの秘めたる力が紹介される。

コーヒーが静かに体内に染み入らば、
ひとりでに広がりて、手足じゅうに生き生きしたる温かさを運ぶ。
心臓に喜びの力を呼び起こす。

そして、もし、
消化（こな）されざる物あらば、身体ほてることによりて、
隠れたる管に小さき孔開き、そこを通りて、
無用なる湿気いでて、病の種子、あらゆる血管より逃げ出さん。

十連でも、コーヒーが健康にいいことをあげている。

・膨れたる腹が、コーヒーを飲むことでへこむ
・そのことで重い体重で圧迫されている臓器への負担を軽くする

さらに、フランスよりも早く太陽の光を浴びるオリエントの人々が、イスラームの法と神の教えにより、度を過ごして果実酒を飲まないので、悪しきことは起こらず、コーヒーを糧に生きられるとある。

そこにてはコーヒーを糧（かて）に生きる者あり。
喜ばしき力を持ちて健やかに暮らす。

生を営みつつも、病の何たるかを知らず。
バッカスの子にて贅沢の友なる痛風を知らず。
あまたの病、我が国を通りて世界を襲わんとするも関わりなし。

ここでは葡萄酒を摂取するヨーロッパ人のように痛風持ちにもならない、世界規模の病とも無縁だ、とコーヒー生誕の地域を賞讃している。

いっぽう十一連では、フランスの現状を語る。

（略）さて今、フランス。
異国のかの習わしを取り入れたり。
かくして、大衆のための店、次々に開かれたり。それ、
コーヒーを飲むための店。蔦（つた）または月桂樹が
看板なりて道行く人を招く。

面白いのはこの詩が書かれた十八世紀初頭、フランスのコーヒー店の看板に蔦や月桂樹が描かれていたということだ。いずれも東地中海のイメージなのだろう。

十二連からコーヒーの起源についての伝説(注7)が紹介される。

(十二連)
さて、語らん。この喜ばしき飲み物を飲むこと誰が教えたるか。

次の十三連から十六連を要約すると、こうなる。

あるときアラブ人の山羊飼いが、コーヒーノキの実や葉を食べた山羊たちが眠ることなく、元気よく跳びはねる騒ぎを目撃した。山羊飼いは、これは誰かの悪さか魔術ではないかと思った。

いっぽう、この山羊飼いの居た場所からあまり離れていないところで、一団のイスラームの聖職者たちが住まう谷間があった。聖職者たちは、夜、礼拝堂に鐘などを鳴らして祈祷するために呼び集められるが、眠ってしまう者が多く、礼拝堂の院長は頭を悩ませていた。

山羊飼いが院長のもとに、山羊たちを狂喜乱舞させた不思議な出来事を相談しに行く。

この話を聞いた院長が丘に登って見ていると、羊たち（ここでは、なぜか山羊ではない）が、
知られざる木（コーヒーノキ）の実を噛んでいた。そこで院長が、その木の実を摘んで持ち帰る。

その実を、水で洗い火にかけて煮て、その煮汁を飲んでみた。

すると、

（十六連）
すぐさま、全身の血管に温かさ行き渡りて、
活力が両手両足すべてにみなぎる。
年老いたる身体より疲れが消え去る。
かくのごとく見出したる恵みに、
老人はやっと喜びをあらわし狂喜す。

かくして、コーヒーの効能に気づいた院長は、コーヒーの煮汁を修行している聖職者たち

に分け与えた。すると、彼らは夜中の祈祷にも睡眠欲を打ち払って集中できるようになった。さらに、朝一番の日の光も、喜びに満ちて迎えることができるようになった、という。

つまり、この詩で語られている聖職者とは、スーフィーたちのことで、彼らの夜の修行のなかで、初期のコーヒーが飲まれ始めたという説話をなぞっている。

十七連は、次のような者に「コーヒーを強く勧める」ということと、コーヒーを礼讃するフレーズで埋め尽くされていく。

・「神のごとき弁舌」を得たいと努力する者
・罪深き魂を言葉で脅えさせようとする者
・「気ふさぎ」にしばしば襲われる者、眩暈（めまい）に脳が震える者

十七連の後半では、コーヒーとはそもそも、恐ろしい病が人々に広まったときに芸術が見捨てられ、働く人々が衰弱し、働かずに安逸や怠惰をむさぼる者が増えたことに対して、憤りを感じたアポロ（太陽神）が、肥沃な大地の下より、人に優しい植物（コーヒー）を誘い

出したものだ、と語られている。

最終の十八連は、

ああ、神の賜物により人間に与えられし植物よ。

と、コーヒーに語りかけ、その恩恵を讃えるのだが、たとえば船乗りたちには次のような恩恵があると記す。

そなたのお陰によりて、船乗りたち、我らが岸辺より船出したりて、
恐れ知らずにして、大暴風雨、砂州、死の岩礁に打ち勝つ。
滋養豊かなる植物にて、ハナハッカ
アンブロシア、香りよき万能薬を凌ぐ。
無慈悲なる病、そなたより逃げ去るなり。
そなたに友として付き添うは心強き健やかさ、

陽気なる人々、語らい、楽しき冗談、耳に快き囁(ささや)きなり。

ハナハッカは薬草の一種、アンブロシアは不老不死になれる神々の飲食物のこと。それらを凌ぐとは、すごい。

全体十八連、百五十行を越えるこの長編詩、これ以降の数百年のヨーロッパにおけるコーヒー礼讃の詩の要素が、ほぼすべて網羅されている感がある。

ギローム・マシューがこの詩が収められた詩集『コーヒーの歌』を出版した当時、「もし古代ローマの詩人ホラティウス(注8)とウェルギリウスがコーヒーを知っていたら、このような詩を書いただろう」と讃えられたそうだが、せっかくなので、そのウェルギリウスの『農耕詩』を、ここで紹介しておこう。

こんどは酒神(バッコス)よ、あなたのことをうたおう。あなたと共に、
森の若木と、ゆるやかに育つオリーブの若枝をも。

ここへ来ませ、おお、酒槽の神よ、ここにあるのはあなたの恵みを、
惜しみなく受けたものばかり。あなたのために、畑は秋の葡萄の蔓を
いっぱいに身にまとい、酒は大桶の中で溢れんばかりに泡立っている。
ここへ来ませ、おお、酒槽の神よ、深靴を脱いで裸の脛を、
われと共に、新しい葡萄の液に浸しませ。
（ウェルギリウス『牧歌・農耕詩』河津千代・訳／未來社／一九八一年より）

古代ローマ最大の詩人と言われたウェルギリウスだが、ついに一篇のコーヒーの詩も、彼は書かなかったわけだ。この『農耕詩』において、ウェルギリウスは、農耕の営みを奨励する文脈のなかで、「酒神よ」と呼びかけ、神と共に葡萄の実りがもたらした酒を、実に純朴に寿いでいる。

この果実酒が、アラビア語でカフワにつながっていたとしても、コーヒーのように不気味なまでの底知れぬ神秘さは、葡萄の果汁を原料にしたワインには見つけることはできないだろう。

ワインはあれに良い、これに良い、などといちいち言い立てる必要もないくらいに、遥か古代より「神」と共にあり、農耕に従事する者らが何千年にも渡って自ら作りなしてきた氏素性の明確なる飲み物なのだから。そういう意味では、極東の国、この列島において赤ワインを賞揚するに「ポリフェノール」云々の効用、効能を言い立てるのは、未だウェルギリウスの詩業があまねく伝わっていないせいだとも言える。

ワインと異なり、十五世紀になってから突如登場した新参者の飲料、コーヒー。本来は、ワインとは全然、格が違うのだが、だからこそ、十六世紀以降のアラビアの詩人たちも、十八世紀のフランスのマシューも、その詩のなかで、伝統の「果実酒」を念頭に置きながら、それを上回るご利益、神の恩寵をコーヒーに注いだということだろう。

次にフランスのジャック・デリーユ（Jacques Dellile 1738~1813）の詩6「神の飲み物なるコーヒー」を見てみよう。マシューが格調高くラテン語で書いたのに対して、フランス語で書かれたものだ。

その冒頭の部分を引用しよう。

詩人に優しき飲み物あり、
それウェルギリウスには知られざるもボルテール賛美す。
それ神の飲み物なるコーヒーなり。それ芸術なり。
自惚れを起こさず心を喜ばす。
年老いたりて我が味覚、鈍くなれど、
喜びに満ちて、我が愛おしき飲み物を飲む。

さて、またもやウェルギリウスが出てくる。十八世紀の詩人たちは、ワインを讃えた古代ローマの大詩人のことがよほど気になって仕方なかったのだろう。このジャック・デリーユは、窪田般彌(はんや)の責任編集による『フランス詩大系』(青土社/一九八九年)の解説によると、一七七〇年にウェルギリウスの『農耕詩』をフランス語に翻訳し、当時、ヴォルテール(引用文ではボルテール）に賞讃を受けた、とある。それを知って、この冒頭の二行目を読み返すと、なんだか楽屋落ちのような話ではある。

それにしても、ユーカーズが引用してみせる詩は、大方においてコーヒーやコーヒーハウスを擁護したり、賞揚したり、熱烈で狂信的なまでのラブコールを送り続けるタイプのものばかりだ。

これがもし恋の詩だとしたら、一方的で、熱烈で、いささか狂信的な恋歌の数々ということになる。愛するにしても、熱烈に賞揚してみせるにしても、その光と影、表と裏、山と谷みたいなものがないと、作品としての膨らみにも、豊かさにも欠けるのではないか。

ユーカーズ以外の、内外のコーヒー研究家たちの引用した詩がすべてそうだ、というわけではない。それでも、詩を、詩の問題として、切実に引用したコーヒー研究書がどのくらいあるのだろうか。

つまり、題材としての「コーヒー」は、いい詩に出会ったのだろうか、と呟きたくなる。

イタリア

イタリアの詩はどうだろう。

紹介されているのは、時代が下って十八世紀後半の詩人、ジュゼッペ・パリーニ（1729〜1799）。

彼は、啓蒙主義思想に貫かれた抒情詩と、十八世紀後半の貴族の腐敗した怠惰な生活を批判、風刺した詩で知られる。現在、ミラノのコルドゥーゾ広場には彼の銅像がある。

11の「今日・朝」を紹介しておこう。

物憂(ものう)き鬱病の悩みが重くのしかかりたれば、
麗しき手足がすこぶる浮腫(むく)み、
贅肉つきたれば、しからば、唇に与えん、
澄みたる飲み物を。美しき青銅色の豆より作られしもの。
燻(くすぶ)りたる情熱の豆、アレッポからの贈り物。
遥かモカよりも、船千隻分が運ばれ来れり。
ゆるりゆるり啜(すす)らば、それに勝るものなし。

堕落した貴族への手厳しい皮肉と対照的にコーヒーの清廉さを強調している。ここに「アレッポ」とあるのは、現在のシリアにある古代の交易都市のこと。イエメンからのコーヒー豆も、この地の商人たちの手によって地中海世界および、ヨーロッパに届けられていた。

イタリアの詩をもう一篇。

これは教皇、レオ十三世（1810〜1903）が八十八歳で書いた詩だ。12の「清貧」。

ついに来たりぬ。東洋の岸辺の飲み物
遥か遥かモカにて、芳しき豆より生まれしもの
黒き液体を味わわん、繊細なる唇にて
飲まんかな、喜びに満ち胃袋待ちわびん

イタリアから見たら東地中海沿岸域から紅海を下ってアラビア半島の南端のイエメンのモカ港から出荷されるコーヒーは、十九世紀になっても十分にエキゾチックで、憧れの対象であったことは理解できる。

「繊細なる唇」という表現に、コーヒーが洗練された飲み物として、優雅に飲まれている状況がうかがい知れる。教皇、八十八歳にしてこの詩作。立派なものだ。

ウィーン

次は、ウィーンの詩人、ペーター・アルテンベルグ（1859〜1919）。

彼は、コーヒーそのものではなくて、コーヒーを飲む場所「コーヒーハウス」を讃えた詩を書いている。

13の「いざ、コーヒーハウスへ」冒頭部分を引用しよう。

心配事や何か厄介事があるならば、
いざ、コーヒーハウスへ。
恋人になぜか約束をすっぽかされたならば、
いざ、コーヒーハウスへ。
靴が擦り切れぼろぼろならば、
いざ、コーヒーハウスへ。

月給が四百クラウンで払いが五百クラウンならば、
いざ、コーヒーハウスへ。

この後、「出世したい野心があるならば」「相応しき友が見つけられぬならば」「自殺したき気持ちになったならば」「淋しくて我慢できぬならば」と続く。面白いのは、「人目を避けたき気分」のときにも、コーヒーハウスをすすめていることだ。

ところで、ペーター・アルテンベルグのウィーンは、コーヒーにまつわる有名な物語を持つ街でもある。

一六八三年にオスマン帝国による「第二次ウィーン包囲」で帝国軍は兵士のために大量のコーヒー豆を携帯していた。結局失敗に終わったが、敗走した帝国軍の残した大量の物品のなかでも注目されたのはコーヒー豆だった。

ここから物語は始まる。まったく使い道のわからない大量のコーヒー豆の使い道を知っている男が名乗りをあげたのだ。そのひとが、フランツ・コルシツキーだ。彼は、ウィーン防衛司令官のシュターレンベルク伯爵の命を受け、帝国軍の制服姿で敵陣を突破して援軍とウィーン守備隊の重要な伝令の役割を担った人物だった。

長年、トルコ人と生活を共にしたことがあったので、コーヒー豆の扱い方、飲み方に精通していたのだ。彼はウィーン包囲に失敗したオスマン帝国軍の残したコーヒー豆を使って、ウィーン最初のトルコ風コーヒーを飲ませる屋台を作った。その屋台が、その後広まって、ウィーンのコーヒーハウスへと発展した。

ちなみに、コルシツキーという人物、確かに英雄ではあったが、ユーカーズのウィーン市保管の古文書の調査によると、彼は功労金のかわりに、自身のコーヒーハウスを作るための高額物件を無償で提供するように執拗に市議会に迫ったという記録が残っているそうだ。

いずれにしても、この第二次ウィーン包囲以降、ウィーンはコーヒーハウスの街としてその名を世界に馳せるようになった。

「いざコーヒーハウスへ」は、そのコーヒーハウスを称揚する詩だった。

イギリス

ユーカーズの調査では、ミルトンからキーツまで、イギリスの詩人たちも、コーヒーを褒め讃えていたそうだ。

まず『失楽園』で有名な詩人ジョン・ミルトン（1608〜1674）の作品、14『コーモス』。

これは戯曲で、ユーカーズはたった三行だけ引用しているが、ここでもコーヒーが大げさに礼讃されている。

ひとくち飲みて
沈みし気分、喜びに転ず
夢見し至福を凌駕す

どんな「至福」が夢みられたのかはわからないものの、コーヒーがそれを凌駕したのだ。ミルトンが最大級にコーヒーを褒め讃えているのが伝わってくる三行だ。

次に、ジョン・キーツ（1795〜1821）も引いてみよう。
「幻想的作品」と紹介されている20の「帽子と鈴」という叙事詩の一部を。
登場人物のエルフィナン皇帝が、偉大なる預言者ハムに飲み物をすすめる場面だ。

「何でもよいぞ。銀製の器に注いだシェリー酒に、金製の器に注いだ白ブドウ酒、それとも、ガラス瓶に入ったシャンパンはどうかな。……さあ、いずれを飲みほすかな」

「信心深き民たちの為政者さま」とハムが答える。「それよりも、年代もののジャマイカ産ラム酒を、指ぬき一杯分ほど所望します」。

「容易なことじゃ」とエルフィナン皇帝。「ナンツがよかろう。予の朝のコーヒーには、それを加えて風味を添えているのじゃ」。

ところがハムにはナンツがグラス一杯手渡される。コーヒーは添えられておらず、透明のクレーム・ド・シトロンが最小の一滴の三分の一ほど加えてある。


エルフィナン皇帝は、自分ならラムにコーヒーを添えると自慢しておきながら、預言者ハムにはレモン風味のクリームを、しかもほんのわずかしか添えてあげないというケチぶりを発揮している。ナンツとは、Nantz という銘柄のラムだが、上物のラムにコーヒーが合うのは間違いない。

この作品では、わざと意地悪してコーヒーを客人に出さないという、コーヒー讃歌としては、ひねりがきいている。

アメリカ

最後にアメリカの詩人たちを見てみよう。

ここで紹介されている詩人の多くがユーカーズと同時代人だ。そのひとり、アーサー・グレーの『ブラックコーヒーを飲みながら』（一九〇二年）のなかの26「コーヒー」より。

ああ、沸騰し、泡立つコーヒー。
台所の女主人の友。
美味しさを褐色の粉に秘める。
アロマを持つ唯一の生き物。
人は求め、人は感じる。
朝の息吹、芳しき朝食。
紅茶は何のため。ただあらわすは、
穏やかなる仲介者。
面白みなき精神の醒めた状態、
人を引きつける魅力なし。

ただあるは平凡なる散文、ゆるやかなる歩み、
のどを鳴らす猫、老女のお喋り。

だがコーヒーは、ほかの物語を語る。
その歴史は率直で大胆。
カリブ海の勇敢なる海賊。
軍隊の行進、広大な平野を行く。
孤独な山師、山々を放浪する。
狩人の山小屋、その香りがすべてを変える。
さあ、コーヒーに乾杯！　熱きコーヒー！
朝の乾杯！　ポットに一杯をお代わり。

この詩はいままで紹介した詩のなかで、ワインではなくて、同じ非アルコール飲料の紅茶をけなしてコーヒーを褒めている、というところがユニークだ。
ユーカーズ自身、この詩を紹介するときに「あいにくと紅茶に関する数行があるが、それ

は省いてもよい」とわざわざ書いているところが、面白い。

というのは、ユーカーズはそもそも「THE TEA & COFFEE TRADE JOURNAL COMPANY」の創始者であり、のちに『オール・アバウト・ティー』という大著を書くほどの、お茶の専門家でもあるからだ。こんな風に紅茶の悪口を言ってもらっては困ると思いながらも、きちんと省略なしで引用しているところは偉い。

ワインに対抗してのコーヒーから、同じ非アルコール飲料の茶とコーヒーを比べているわけだが、アメリカのこの時代のコーヒーは、マッチョなイメージをまとっているようだ。海賊や軍隊、山師、狩人の、荒々しいというより暑苦しいイメージ。そんな連中と朝から乾杯するくらいなら、のどを鳴らす猫、穏やかな仲介者でも結構、と言いたくなる。

次の詩もワイン、ビール、紅茶などを敵にまわしている。

ルイス・アンターメイヤー（生年不詳）が一九一五年『ニューヨーク・トリビューン』紙に寄稿した詩。ちなみにこの新聞は一八四一年から一九二四年の間、発刊されていた日刊紙で、反奴隷制、自由な土地運動、女性の権利向上など社会改革的な論調の新聞だった。

では、アンターメイヤーの28「ギルバート・K・チェスタートン（注9）風コーヒーに乾杯」より。

つよいワインをあざけり、つよいワインはけだもの。
捕われになれば胃はむかつきだす。それは名高い泡。
摘みたてのホップで作ったビールは人に勧めるべからず。
修道士を誘うベネディックティンでもだめ。
ワインには地獄の魔力があるから。悪魔が作った飲み物。
そしてビールの友は言わば青白く、疲れ果て、頭の鈍い連中。
そしてビールの味は言わば奇妙であいまいな茶色。
だが、同志よ、コーヒーを飲みたまえ。飲みほし、飲み下せ。
どんどん飲もう、どんどん飲もう。
ああ、ココアは年寄りの姪と一緒に住む年寄り貴族の飲み物。
そして、紅茶は、装った、声高の、乱暴な平和のための飲み物。
そして、ブランデーは服を汚す飲み物、鞄の中で瓶が割れれば。
だが、コーヒーは、決して飲まれない者が飲む飲み物。
だから、紳士がた、楽しき杯を飲みほせ。モカとジャワとの統合。

うますぎる話には頭を明晰にしてくれる。
花形を騒々しい酒場から、酔客の口の端から遠ざける。
さあ、強いブラックコーヒーだ。飲みほし、飲み下せ。
どんどん飲もう、どんどん飲もう。

アルコールを、ココアを、紅茶を敵にまわして罵詈雑言の数々がすさまじい。よくこれを北アメリカのリベラル思想の新聞が掲載したものだ、とため息がでてしまうが。ココアが「年寄りの姪と一緒に住む年寄り貴族の飲み物」とは、どんな揶揄だろうか。ワインには「地獄の魔力がある」「悪魔が作った飲み物」と、非難が徹底している。

まあ、うますぎる話に引っかからないようにするために、コーヒーのカフェインで頭脳を明晰にするのはいいとしよう。しかし、「強いブラックコーヒー」を、さあ「飲みほし、飲み下せ。どんどん飲もう」と繰り返し畳みかけられても困る。

アメリカで禁酒法が施行される五年前に発表された詩だということを考えると、ここまでのアルコールへの罵倒も、この時代のアメリカ合衆国の「極端な」時代の空気感を伝えている、ということかもしれない。

では、アメリカの詩人のバートン・ブレーリー（1882〜1966）が一九三五年に発表した30「不平の理由」という詩を紹介して、ユーカーズの選んだ「詩におけるコーヒー」の旅を締めくくろう。

三連からなっている詩だが、その全篇を引用する。

不平の理由

僕の胃は亜鉛製、食べ物と飲み物を処理する
だからダチョウさえも自分の胃を心配、気がとがめるほど。
朝食に夕食。午後のティーも昼食も。どんなものでも山羊の食欲。
膏薬でも味が分かり消化できる。
色粉で装ったゼリー、甲冑で覆ったケーキとパイ、
ハゲタカさえもびっくり仰天。
楽しく消化できる、まるで大食漢、

もしも朝のコーヒーがまともなら。

僕は大の陽気者で心が広い、
そして世の中を楽天的に見る。
そして幸運の女神がしかめ面で目の前に現れ僕を殴っても、
それを掴めることが、昔から分かっている。
失恋からでも立ち直れる。
ご婦人の気位高い叱責にも耐えられる。
でも僕はまったく無用、全生涯は虚しくなる。
もしも、まともなコーヒーを朝飲まなければ。

女もワインも歌がなくとも楽しく過ごす。
親しい友や金がなくても大丈夫。
絵画に本に芝居がなくて日々気が滅入っても、
性分は適度に朗らか。

僕は自分自身の船長。おしなべて独立心旺盛。
だが、僕の自由と勇気は日の目を見ない。
そして朦朧としてさまよう、もしも、さわやかなアロマを逃せば。
　香豊かな朝のコーヒー。

どんなことがあっても、朝、アロマたっぷりの、まともなコーヒーさえあれば大丈夫。コーヒーさえあればどんな境遇でも耐えられるという詩だ。

2　ユーカーズにおける「コーヒーの詩」

十六世紀のアラビアの詩人から始まって、『オール・アバウト・コーヒー』の改訂版が出た一九三五年の詩まで。ユーカーズの三十篇のコーヒーの詩のアンソロジーを眺めると、コーヒーが十五世紀の半ばにイエメンで「発明」されて以来、数百年に渡って「賞讃」され続けてきたことがよくわかった。

コーヒーの出身地のアラビアでは、コーヒーが神の認める正当な飲料であるということに照準をあわせつつ、ワイン世界に対しての対抗心をしのばせる必要もあった。同じカフワでも、コーヒーとワインはこんなに違う、と言い立てるために。

フランス以降のヨーロッパの詩になると、コーヒーは新しい「神の飲み物」というエキゾチックでオリエンタル、あるいは南アラビアの「幸福な古代のイメージ」を歌い上げて、さらに、実用的な生活になじませる地道な詩も作られた。

つまり、導入期の啓蒙を詩が担っていた。その後の各地での展開は、ちょっと狂信的なまでのアルコール批判と、コーヒー礼讃。お茶やココアなど、ほかの飲料までも攻撃しながら、とにかくコーヒーこそが飲料の王様と言わんばかりの展開になっていく。

このエキゾチックな飲料がこれほどまでにヨーロッパの詩人たちを夢中にさせ、彼らの創作意欲をかき立てたことは、これらの熱烈なコーヒー詩を並べるとよくわかる。

最後に、『オール・アバウト・コーヒー』の巻末に紹介されている「コーヒー類語集 A COFFEE THESAURUS」を紹介しておこう。

副題には「コーヒーノキ・コーヒー豆・飲み物のコーヒーに与えられた讃辞と名言」とある。この作業には、ユーカーズが採集した、数世紀に渡るアラビアからヨーロッパ、アメリカの詩人たちの言葉が、多く含まれている。

これは、コーヒーに付与された、この数百年のイメージ、効能、役どころのリストでもある。

「憂いを忘れさせる薬／華やいだ飲み物／神の果汁／神の飲み物／血色のよいモカ／男の飲み物／愛しき飲み物／美味なるモカ／魔法の飲み物／この豊かなる強壮剤／神の液体／家庭的な飲み物／コーヒーは金（きん）／万人の果汁／素晴らしきモカ／心地よき飲み物／神の与え給いし飲み物／喜ばしき飲み物／万人の飲み物／アメリカ人の飲み物／琥珀色の飲み物／万人の喜び／芳香のなかの王者／幸せの飲み物／気持ちを落ち着かせてくれる飲み物／神々の美味なるもの／知的な飲み物／芳香を持つ飲み物／健康によき飲料／善人の飲み物／民主的な飲み物／常に輝ける飲み物／眠気を追い払ってくれる思いやり深き飲み物／素面の飲み物／精神の必需品／闘う男の飲み物／寵愛されし飲み物／もてなしの象徴／この希有なるアラビアの強壮剤／文学者にインスピレーションを与えるもの／革命の飲料／勝利の黒き液体／厳粛にて健康的なる飲み物／知識人の飲み物／きらめく機知の増進剤／色合いは純潔の紋章／酩酊

を起こさない健康的な飲み物／千回の接吻より素晴らしきもの／この誠実で励ましになる飲料／悲しみがあらがえぬ美酒／人類はみな兄弟であることの象徴／速効性ある喜びと薬／神に親しき者たちの飲み物／悲しみを焼き尽くす火／家庭の災いを癒す優しき万能薬／朝の食卓の専制君主／神の御子の飲み物／アメリカ人の朝の食卓の王者／素面で物憂いときに優しくなだめてくれる飲み物／元気を回復させてくれたるが酩酊させぬ飲み物（＊）／コーヒー、それは政治家さえをも賢明にする／その香り、万物の中で最高の喜び／楽しく健康的である至上の飲み物（＊）／強国であるための不可欠の飲み物／悲しみを流し去る液体／そよ風が運んできた魅惑の香水／心を喜びで満たす好ましき液体／友情の祭壇に注ぐ美味なる神酒／心配事を心から追い払ってくれる励ましの飲み物」

ちなみに、（＊）が付いているものは、原注によると「茶のこと。後日、誤ってコーヒーのことだとされた。」とあるのが微笑ましい。そもそも、コーヒーと茶、どちらにも共通してあてはまる「良さ」はたくさんあるのだろう。

これらのコーヒーのイメージを集大成としての類語集だ。これは、二十世紀初頭のアメリカのコーヒー会社の宣伝担当にとっては、きっと必携だったのではないか、と思っていたら、当時の現実はコーヒーには厳しかったようだ。

第一次世界大戦以降、コーヒー以外の原料を使った「代用コーヒー」が出回り、とくに「穀類飲料」業者たちが二十世紀初頭のコーヒー業界を荒らし回っていた。代用コーヒーとは、コーヒーの苦味や色を再現すべく、さまざまな穀類や植物の根などを煎って煮出したもので、ヨーロッパにコーヒーが紹介された十七世紀のごく初期の頃から登場していた。舶来品のコーヒーは一部の特権階級のもので希少価値も高く、庶民の手に届く物ではなかったからだ。

こうした紛い物のコーヒーはしぶとく生き残り、本物のコーヒーの増量剤になったり、戦時下の品不足の機に乗じたりした。

ちょうどユーカーズが『オール・アバウト・コーヒー』を書き出した、第一次世界大戦以降のアメリカは「穀類飲料」業者たちが、開き直って、コーヒーのカフェインを攻撃した上で、まるでコーヒーの欠点を補ったスーパー飲料のように代用コーヒーの営業宣伝を展開した。

守勢に回った当時のアメリカのコーヒー業者たちは、カフェインの適正摂取は体に悪くないという、「弁明」キャンペーンをするはめに陥った。そういう事態をユーカーズは、第4部「商業」の第32章「コーヒーの広告小史」のなかで、次のように嘆いている。

「歴史はアメリカでも繰り返される。コーヒーがアラビアで初めて宗教的な弾圧を受けてから五百年後、アメリカでは狂信的な業者によって弾圧される」と。

改訂第二版が出版された一九三〇年代に、紛い物の代用コーヒーの穀類飲料は駆逐されたようだが、それでも時折、「コーヒーのような味、香りがある」飲料がゾンビのように現れた。当初から高額すぎて庶民の手には入らないコーヒーは、オオムギ、コムギ、トウモロコシ、チコリ、乾燥イチジクをはじめ、さまざまな植物の根や種などを焦がして作った代用品が繰り返し登場した。

そういう意味で、詩人たちがこぞってコーヒーを礼讃した数百年の間も、つねにコーヒーを攻撃する者はいたし、場合によっては、偽物コーヒーを推奨する者さえいた。

と、ここまで書いてきて、第37章の「詩におけるコーヒー」に、コーヒーを攻撃する側の詩の紹介がなかったことを不思議に思う。繰り返し非難されてきたのに、非難する側の作品はなかったのか。あったならば紹介しないのは、いささか公正さに欠ける振る舞いではないか、と。

コーヒー研究家の井上誠が抱いた「ユーカーズは所詮、業界の奉仕者ではないのか」という感想を、ここで蒸し返したくはないが、なんとなく釈然としない。

そんなことを思いながら、あらためて密林のような『オール・アバウト・コーヒー』に分け入ってみると、コーヒーを非難、罵倒する「作品」が、発見された。

場所は、第1部、「歴史」の9章「昔のロンドンのコーヒーハウス」のなか。十七世紀当時のコーヒーをめぐる賛否両論が渦巻くさまを紹介する箇所で、問題のコーヒー批判の作品が、ふたつ紹介されていた。

十六世紀のアラビア社会に負けず劣らず、十七世紀のヨーロッパの都市で、そしてロンドンでも、コーヒーをめぐってさまざまな議論が展開された。擁護派も、反対派も、それぞれ極論に走って、まるで妥協の余地がない。

こうした論争に参戦したのが、詩ではないが、コーヒーを非難する「ちらし」だった。

ユーカーズが、十七世紀のロンドンで「コーヒーを非難する注目すべき最初のもの」として引用している問題作のタイトルは「一杯のコーヒー、あるいはコーヒーの本質」だ。
行分けで書かれているこの「ちらし」は、ここまでコーヒー礼讃の詩につきあってきたぼくたちには、まるで詩のようにも、読めるはずだ。

男並びにキリスト教徒をトルコ人に変えるなり
罪犯せども、飲み物のせいと言い訳す
それ魔術を超える……
順なるイギリス人の愚か者よ、我は知る
汝、物真似したりて蜘蛛を食わん。
神々も飲みたる純なる飲み物、人々飲す
芳醇なる葡萄酒により純化さる
……
汝らコーヒー飲みども、コーヒー自体よりも劣る、
汝ら愚か者、とうてい作れまい、

己のスープを。物笑いの種になるをおそれて。
しかれども喜べ。純粋なる葡萄の血を与えん。
あれ、忌まわしき飲み物なり、未だ分からぬか。
煤のシロップ、古靴の煮汁なりて、
新聞、出来事の本、千切りて振り掛けたり。

凄まじいコーヒーと、コーヒーをワインよりもありがたがって飲む人間への罵詈雑言である。しかも、その罵詈雑言、エスプリもきいているし、「新聞、出来事の本、千切りて振り掛け」られたという言い回しは、悪口ながらも、ロンドン・コーヒーハウスから、新聞というメディアが誕生(注10)したことを思うと、言い得て妙だと膝を打ちたくなるほどだ。

さらにこの章では、コーヒーを非難する詩が紹介されている。

あえて、これは「詩」だと、ユーカーズは断りを入れている(詩だと認めるのなら37章の「詩におけるコーヒー」に入れて欲しかったが……)。

それは「コーヒーを非難するビラあるいはトルコ人との結婚」という詩だ。

前出のビラに負けず劣らず、すさまじくコーヒーを罵倒している。

コーヒー、言わばそれ、トルコ人の背教者、
キリスト教徒の飲み物と対戦す。
まずは、双方の間より異議おこりぬ。
同盟結びたるも、大なる騒動なきにしもあらず。
コーヒー、それは地表のごとく冷たく、テームズ川のごとき水、
しかして、炎にて熱する要あり。
コーヒー豆の見かけ、濃き茶色なり。
色浅黒く、美しき純真無垢の妖精に相応しからず。
（この地にて）初めてコーヒーたてしは御者、

それ以来、他の者、コーヒーの商い始めたり。
ワレ英語ジョウズナラズと御者のたまう。それしかり、
偽医師演じたりて、地獄の代物を施すなり。
胃、咳ナドノ病ニヨシという。
我それ信じるにて、見掛け薬ゆえ。
コーヒー、パン皮を煎りて炭にしたるもの。
匂いと味、まがいものの陶器の碗。
必死になって肺を働かす。
躊躇（ためら）いたりて舌を留め、言葉を出さぬ。
しかも、火傷せぬと人々言う。
だが、結局は水脹れ生じたるにて、
その猛烈なる熱さゆえ湯気昇る。
しかれども、洗練したる眼（まなこ）を通したりて、
そろりそろりと不安と欲望が混じり合う。
腹空かしたる犬、ポリッジをむさぼるごとくなり。

だが酔いどれを治すとの評判あり。
それ、ミルク酒とオートミールも変わらぬ。
混乱の極み、一つの情景になりぬ。
正にノアの箱舟、清濁混交。
だが、この飲み物には手柄あり。
紳士すべてが飲むなり。
しかして卑しき飲み物、かかる背丈に育つべきなり。
だが、それ飲むは普段からの逃避にすぎぬ。
しかして下賤なる皿と広きコーヒーハウス、
それ何。大山と鼠との取り合わせなり。

これまた、徹底的なコーヒー非難の詩で、コーヒー発祥の地に精通していた「異邦人」に対する差別もにじませている。

コーヒーが熱すぎるだの、テームズ川みたいに濁って悪臭を放っているだのと、いちいち否定してみたり、コーヒーを扱う外国人の英語が下手なのをからかってみたり(「ワレ英語ジョウズナラズ」とカタコトで話している様子の描写)、同じ罵倒でも品がない。およそ、英国紳士のふるまいとは思えない。

さて、医者から詩人までさまざまな「権威」を動員しながら、コーヒー擁護派と反対派による論戦の果て、数百年後の結論としては、世界の承認を得て、コーヒーは国際商品になった。過ぎたるは及ばざるが如しで、カフェインの過剰摂取の害なら、現在でも繰り返し注意をうながされてはいるが。

いずれにしても、地上に根付いて五百年を越え、もう天国でも地獄でもない、神でも悪魔でもない、極端な物言いからは卒業した地上の飲み物としてのコーヒーを、ぼくたちの等身大の「現在」の詩は、どう描いているのだろうか。

このあたりでユーカーズに別れを告げて、コーヒーの現代詩を探すことにしよう。

3　朝に一杯のコーヒーを

まずは、朝の風景に、コーヒーの詩を置いてみよう。
一九八〇年代の、谷川俊太郎（1931〜）の詩。

朝

隣のベッドで寝息をたてているのは誰？
よく知っている人なのに
まるで見たこともない人のようだ

夢のみぎわで出会ったのはべつの人
かすかな不安とともにその人の手をとった

でも眠りの中に鎧戸ごしの朝陽が射してきて

朝は夜の土の上に咲く束の間の花
朝は夜の秘密の小函を開くきらめく鍵
それとも朝は夜を隠すもうひとりの私？

始まろうとする一日を
異国の街の地図のように思い描き
波立つ敷布の海から私はよみがえる

いれたてのコーヒーの香りが
どんな聖賢の言葉にもまして
私たちをはげましてくれる朝

ヴィヴァルディは中空に調和の幻想を画き

遠い朝露に始まる水は蛇口からほとばしり
新しいタオルは幼い日の母の肌ざわり

インクの匂う新聞の見出しに
変らぬ人間のむごさを読みとるとしても
朝はいま一行の詩

（谷川俊太郎の「朝」と題された詩の全文である（『日々の地図』集英社／一九八二年より）。

この三行七連のなかに端正に配置された「朝」のイメージは、みずみずしく鮮烈である。隣に眠るのは「妻」だろうか。

「まるで見たこともない人のよう」に見える。

きっと「妻」に違いはあるまい。しかし、「私」は、みずからの夢の余韻にすがる。

「朝は夜の土の上に咲く束の間の花／朝は夜の秘密の小函を開くきらめく鍵／それとも朝は

夜を隠すもうひとりの私？」と、朝をめぐる比喩は、この詩人特有の、平易な言葉の言いまわしにひらめきをこめ、意想外のイメージの跳躍を見せてくれる。もう、ため息をもらすしかない。

しかし、「異国の街の地図のように」思い描くことのできる一日の始まりや、「波立つ敷布の海から」よみがえる「私」などは、続く「コーヒー」を容易に導き出す凡庸を恐れない。しかも、「聖賢の言葉」という、遙かアラビアのスーフィーたちをも呼び起こして、次にイメージはさらりとコーヒーを離れ、ヴィヴァルディと朝露と母の肌ざわりと、そして、「変らぬ人間のむごさ」をその見出しの「墨色のインク」にたっぷりしたたらせた新聞の一行が、読者を一九八〇年の現実につなぎとめる。

あまりに過不足ない「朝」のイメージの流れのなかで、淹れたてのコーヒーの香りが励ます朝というのは、ちょっと驚くほどの素直さである。この詩人が、日本の現代詩人のなかで例外的にポピュラリティを獲得できる秘密の現場に出くわすような詩だ。

「変わらぬ人間のむごさ」を毎朝、届ける新聞の見出しの一行。それが「詩」だとして、新聞のインクの墨色は、コーヒーの色となり、それは、苦くとも受け入れるしかない「現実」になるだろう。

毎朝飲むコーヒーが響かせる「聖賢の言葉」も、ヴィヴァルディの調和の旋律も、波打つ敷布のように心地よく、すべては、「朝はいま一行の詩」と告知される。

眩しい白と美しくコントラストをなすシャープな黒の対比。無臭の八十年代的な都市生活者の豊かさと切なさが漂っている。

「異国」や「海」、あるいは「ヴィヴァルディ」のなかに、おなじみの通俗的な「朝のコーヒー」という異国情緒が漂うにせよ、この詩の静かな律動は、あくまでもさりげなく、あたりまえのように、この朝の情景に一九八〇年冒頭のこの国のコーヒーの佇まいをみせてくれている。

それにしても、二十一世紀のいまとなってはこの情景が、遥か霞の向こうのことのように懐かしいものにも感じられるが。

では、さらに半世紀以上前の「パリ」の朝に、コーヒーを登場させてみよう。

この詩の、恋人のもとを去る彼は、残された彼女に一言も、視線のひとくれも与えはしない。そのいっぽうで、彼がひとりで黙々と飲むコーヒーが登場する。

ジャック・プレヴェール（1900-1977）の「朝の食事 "Déjeuner du matin"」は、こんな風に始まる。

朝の食事

あのひとは　コーヒーを
茶碗についだ
あのひとは　ミルクを
コーヒー茶碗についだ
あのひとは　砂糖を
ミルクコーヒーに入れた
小さなさじで
あのひとはかきまわした
あのひとはミルクコーヒーを飲んだ
それから茶碗を置いた

あたしに口もきかずに
あのひとは　煙草に
火をつけた
あのひとは　煙で
輪を吹いた
あのひとは　灰皿に
灰を落とした
あたしに口もきかず
あたしに目もくれずに
あのひとは立ち上った
あのひとは
帽子をかぶった
あのひとは
レインコートを着た
雨だったから

そして　あのひとは出て行った
雨の中を
ひとことも口をきかず
あたしに目もくれずに
それから　あたし
手に顔を埋めて
泣いたの。

（『フランス名詩選』安藤元雄・訳／岩波書店）

この三十二行の詩は、一行を除いてすべて複合過去という時制で書かれている。複合過去とは、フランス文法初級で習う簡単な文法のため、子供の作文のようだとも言える。そんな簡単な語り口で、この詩は恋人が去っていく切ない朝の情景をぶっきらぼうに記述する。雨の陰鬱な情景にもかかわらず、どこかさばさばした、クールで乾いたリズムが、都会の朝の日常の情景に「孤独」を響かせているようでもある。

試みに、冒頭の十一行を原文（詩集"Paroles" 1949, Gallimard）で引いてみよう。コーヒーが、ミルクコーヒーになり、さらに砂糖が入り、という様子がすべて「複合過去」でそっけなく進行するさまがよくわかる。

一行の短さは、そのまま、日常のなかの「小さな永遠」の滴のリズムになっている。

Il a mis le café
Dans la tasse
Il a mis le lait
Dans la tasse de café
Il a mis le sucre
Dans le café au lait
Avec la petite cuiller
Il a tourné
Il a bu le café au lait

Et il a reposé la tasse
Sans me parler

あのひとは　コーヒーを
茶碗についだ
あのひとは　ミルクを
コーヒー茶碗についだ
あのひとは　砂糖を
ミルクコーヒーに入れた
小さなさじで
あのひとはかきまわした
あのひとはミルクコーヒーを飲んだ
それから茶碗を置いた
あたしに口もきかずに

別れの朝、恋人はなぜだかたったひとことも口をきかない。男と女の別れに口をついて出てくる真実の言葉など、ないにせよ。
視線もくれず、いつものように黙々とコーヒーを、カップに、ミルクを、コーヒーの入ったカップに、砂糖を、そうしてできあがった「カフェ・オ・レ」にと、順々に、あまりに馬鹿馬鹿しい日常のディテールが、複合過去という時制に張り付けられて、ぎこちなく進行する。ひとつずつ拡大され、解体された日常の風景の時制は「別れの朝」という切ない時制に等価なのだ。

この詩においては煙草も、コーヒーと同じ機能を果たしている。言葉を遠ざけるために、日常に訣別するために、あえて「日常の儀式」つまりコーヒーを淹れて飲むことと、煙草をふかすことがまったく等価なものとして描かれている。アラビアの詩人たちが賞讃した「神の友」とは異なるコーヒー、憂いや悲しみをうちはらってはくれないコーヒーを、淹れる所作のなかに、コーヒーの功徳の栄光の響きはまるで聴き取れない。あえて聴こえるとすればモノクロームの窓の外で降り止まない雨音だけだ。

しかも、フランス語の彼は〝il〟で、ここでの〝il〟は、人称代名詞の三人称単数男性を指すが、同時に、まるで雨が降るときのような非人称代名詞の〝il〟のようでもある。

その朝、外では雨が降っていたのだ。

あのひとは
レインコートを着た
雨だったから
そして　あのひとは出て行った

にあたる部分のフランス語を見ると、

Il a mis
Son manteau de pluie
Parce qu'il pleuvait
Et il est parti

と、ある。レインコートを着て外に出て行った。

なぜならば、「雨が降っていた"il pleuvait"」から。

この雨が降っているという自然現象の部分だけが、非人称代名詞の"il"を主語にして「半過去」で書かれてある。この時制は「過去の状態・習慣」を表す時制だが、ここでは、雨が降っているという過去のある時間の間、降り続く状態にあった、ということだ。

つまり、あの朝、雨だけは、「小さな永遠」の瞬間の連続（複合過去で表現された一個ずつの動作）を貫き通して、彼が去ったあとのひとりぼっちになった話者（あたし）の孤独の時間をも貫いて、降り続いていたのだろう。

そしてこの一行のあと、またも、複合過去でストップモーションのようにして、映像が張り付けられる。

Et moi j'ai pris
Ma tête dans ma main
Et j'ai pleuré.

それから　あたし
手に顔を埋めて
泣いたの。

この詩に映し出されたものは、「朝のコーヒー＝恋人たちの語らい、甘い生活」といったようなテレビコマーシャルの語る通俗的な光景ではなく、「演歌的」な定型の別れの悲しさでもない。

ここにあるのは、この詩人の「詩」の豊かさと清潔さ、そして訳文を通してでも感じることのできる、純度の高い孤独の呆けたような「哀しみ」ではないか。

ここでは詩が、コーヒーが、救いようのない空疎な存在として孤独の旋律を響かせている。

朝のコーヒーの詩を続けよう。

一九五〇年代から詩集を世に送っている詩人、茨木のり子（1926〜2006）の九十年代の詩の情景にコーヒーの匂いが流れている。

食卓に珈琲の匂い流れ

ふとつぶやいたひとりごと
あら
映画の台詞だったかしら
なにかの一行だったかしら
それとも私のからだの奥底から立ちのぼった溜息でしたか
豆から挽きたてのキリマンジャロ
今さらながらにふりかえる
米も煙草も配給の
住まいは農家の納屋の二階　下では鶏がさわいでいた

さながら難民のようだった新婚時代
インスタントのネスカフェを飲んだのはいつだったか
みんな貧しくて
それなのに
シンポジウムだサークルだと沸きたっていた
やっと珈琲らしい珈琲がのめる時代
一滴一滴したたり落ちる液体の香り

静かな
日曜日の朝
食卓に珈琲の匂い流れ……
とつぶやいてみたい人々は
世界中で
さらにさらに増えつづける
（茨木のり子／詩集『食卓に珈琲の匂い流れ』より／一九九二年）

さながら難民のようだった自身の新婚時代の一九五〇年代、戦後すぐの困窮から徐々に豊かになっていった詩人は、すでに挽きたての香りを漂わせる、アフリカの銘品キリマンジャロ・コーヒーが飲める時代にたどり着いていた。

しかし、九十年代になったいまなお、世界のあちこちで、食卓にコーヒーのある静かな日曜日を持てそうにない人々が、「さらにさらに」増え続ける姿に、詩人は心を寄せていく。十九歳で敗戦を迎えた詩人の体験。戦中の空襲や飢餓に苦しんだことを決して忘れない詩人の眼差しは、「珈琲」の匂いのその先の現在の世界をまっすぐ捉えている。

次も朝のコーヒーの詩だ。

イタリアの詩人ウンベルト・サバ（1883～1957）の詩を須賀敦子（1929～1998）の翻訳で紹介しよう。

『ウンベルト・サバ詩集』（みすず書房、一九九八年）。

イタリアのトリエステの坂の上で、ベレー帽をかぶり、パイプをふかしていた詩人ウンベルト・サバが、少女の朝を歌った美しい一篇（「三枚の水彩画」－2）。
須賀敦子の翻訳によって、日本語の詩として、この作品を受け入れたくなる。

カッフェラッテ

つらいと
おもう。そうなってほしい
とおもうだけ、おもうように
なってくれない。

もうすこしだけ、いとしい
少女よ、
ぐっすり眠りたい、彼女はおもう。

すこしだけ
目をあいたまま、夢みていたいと。
やがて、しずかに、揺籠に
身をささげた。
老いた
召使いが入ってきて、

待ちこがれた飲みものを
さしだして、くれたら。
ミルクはアルプスのミントの香り、
黒い
カッフェは海の彼方の薫り。だが、
寝床のそばにいるのは、彼女の母親、
むっつりとさしだす
家庭用ブレンド。

ほんとうなら、ゆっくりと
起きて、
生活が、聞きとれぬほどの囁きみたいに
しか入らない
部屋がほしいのだけれど。彼女を待っている
のは、ふんわりしたアームチェアと本が一冊。
それから、おしゃべりでない
考えがひとつ。

それなのに、いつもの
うるささで、
母親の声がせきたてる、
お仕置きみたいに
おそろしい、一年まえから、

白いのは白いシーツだけでなくて。
カッフェラッテでないのを、
ぐっと飲む。

つらい気持ちで、
起きる。だが、ゆっくりと
戻ってくる
幸福の想い。

少女の、思春期に特有のあの朝の、寝起きの辛さという無邪気な光景に、夢見るような「カッフェラッテ」が、少し甘酸っぱく拮抗している。この詩は、ゆっくり主述の交錯を楽しみながら読みたい。

アルプスのミントの香りのするミルク。それに加えるのが黒い「海の彼方の薫り」。それは、きっと少女が見たことのない「空想のアラビア」につながり、その香りを運ぶ黒い「カッフェ」

が、ベッドサイドでミルクと邂逅（かいこう）を果たす。

もちろん、無邪気な夢想は、むっつり顔の不機嫌な母親という現実にすぐに打ち砕かれもするが。実際に差し出される「家庭用ブレンド」という「カッフェラッテではないもの」をぐっと飲むという情景が、まさに「水彩画」のように、淡く優しげに微笑ましく定着している。

少女は辛い気持ちで起きるにせよ、「幸福の想い」はゆっくりと戻ってくる。コーヒーは少女にとっては、「海の方の薫り」というイメージに違いなく、ベレー帽にパイプをくわえたトリエステの詩人の巧みな筆さばきが、いまは亡き須賀敦子の日本語を通して、くっきりと視覚化された。「カッフェラッテ」と表題された、まさに一枚の水彩画のような作品だ。

谷川俊太郎の、一九八二年の朝の詩の情景のコーヒーと、およそ半世紀ほど前のイタリアの詩人の情景に置かれたコーヒーは、「海」や「白いシーツ」、「敷布の海」などの朝に属する言葉の類縁とともに、何かを予感させる。

日常のなかに定着したコーヒー。それでもどこかで「憧れ」や「エキゾチック」な魅力を失わないコーヒー。何よりも、平和で、ある種のゆとりがないと、豊かなコーヒーには出会えない。たとえ、それが日常的でささやかな贅沢だったとしても。

コーヒーは、そうしたささやかな日常のなかの「異郷」を担っているのが、わかる。

次も須賀敦子の訳業で知ったイタリアの詩人ジュゼッペ・ウンガレッティ（1888〜1970）の一篇を『イタリアの詩人たち』（青土社／一九九八年）より。

In memoria（1916）

名前は
モハメド・シェアブ

遊牧民の首長の
血をひいていたが
自殺

祖国を
亡くしたので
フランスに惚れたから
名を変えた

マルセルになったが
フランス人では　なかった
コーランの
単調なうたごえに
コーヒーなどを啜りながら耳を傾ける
そんな自分の家のテントで
生きることも　もう
できなくなっていた

見棄てたものへの悲しみの
うたを
唄うすべさえ
持っていなかった

柩をおれは送っていった
おれが　あいつと住んでいた
パリは
rue des Carmes 5番地
くだり坂の　しおれた細い通りの
あのホテルの女主人と

いまイヴリーの墓地に
眠っている
いつも

見世物小屋が引越した
あとの日みたいな
郊外の町だ

もしかしたら
彼のいたことを　憶えているのは
おれ　だけ

アラブからフランスに住み着いたけれど、フランス人にはならなかった（なれなかった）ひとりの男の思い出。ウンガレッティ自身、両親はイタリア人だが、父親がスエズ運河の工事に携わっていた関係で、出生地はエジプトのアレクサンドリアだった。彼はその後、二十代を第一次世界大戦前のパリで過ごし、多くの詩人や画家たちと交流した経験を持っている。自殺したモハメド・シェアブは、アレクサンドル時代のウンガレッティの友人で、パリでも同じ下宿に住んでいた親友だった。

「見世物小屋が引越した／あとの日みたいな／郊外の町」で眠るマルセルという名前になったモハメド。

彼の啜ったコーヒーに、故郷喪失者の寄る辺のない淋しさに、慈悲深い神の調べが溶け込んでいく。

二十世紀の詩は感傷に傾くことはない。

ただ言葉少なに、詩を墓碑銘のように置く。

詩は記憶だ。

その記憶を運んで来るのは、十六世紀のアラビアの詩人が描いたように、神の恩寵に満たされた、苦く美しい墨色の飲み物。

では、「見世物小屋が引越した／あとの日みたいな」パリの郊外から東へ、遥かに遠くの、クロアチアの辺境の寒村に向かおう。

そこでは「春の声」が聴こえてくるだろうか。

加藤温子（はるこ）（1932〜2000）の詩集『春の声』（思潮社／一九九七年）より。

春の声

天使の回廊

空港は閉鎖されたので
オーストリアから残雪の国境を越えて
ザグレブの東90キロにあるシュマリエを訪れた
四月　草原の村々が祝祭でにぎわったあの晴れた日
崩れ落ちた古い城廓内のひびわれた石畳に
一羽の死んだ鳩が仰向けに置いてあった
《光》があった
《わたしはどこからやってきたのだろう

《どういう名をもって
《記憶のかなたから
はるかにこの石の街を過ぎて
地上を旅するわたしたち寒い家族よ
――あなたはいつまで沈黙なさるのですか――
――撒かれた《灰》に赤い花は咲くのでしょうか――
ほしいのはあなたの《声》
《ことば》のはじめての徴／春の声
《――凍った魚がしずかに泳ぎはじめる／春
ここクロアチアの辺境の村を
雲はいつものようにゆっくりと流れている

一杯のコーヒーすらなつかしい
光がはしる　光の翼が雲間に見え隠れ
・・・《アッ　空のなかでちいさな天使が死んだ・・・・・・・!

洪水のはるか遠くから
《ことば》の細い繭糸を指先でたぐりよせたぐりよせ
燃やした棕櫚の灰を額にしるし
水曜日のあなたの沈黙のかなたに

《——さびしいこどもたちのうたがくりかえしきこえる／春

ゆっくりときしむ宇宙の軸の回転に耳を傾けるとき
ほしいのは灰に咲く赤い花　そして
亜麻布につつまれた一羽の鳩の瞳にうつる
春の声の生誕

クロアチアの寒村での光景。

ゆっくり流れる雲の間に、見え隠れする光の回廊。

十五世紀にはオスマン帝国の支配下に入ったクロアチアは十八世紀の末までイスラーム圏に取り込まれた。そんな歴史を持つ国で、一杯のコーヒーすらなつかしい、という感慨のなかで、どんな天使が死んだのだろうか。

なぜだか、それを知りたくなるが、天使ならぬ人は、春の声を待つ、地上を旅する寒い家族だ。

加藤は、生前、敬虔なカトリックの信者として知られていた。詩のなかの水曜日は、灰の水曜日だっただろう。

4　コーヒーは詩を響かせるか

「言葉」のその先は、あるのか、ないのか。

詩とは何か。

コーヒーとは何か。

それを追いかけて来た冬空を流れいく幾すじもの白い雲たちも、ここに至り、もう行方定かではない。

詩は古来、神を、天使を、宇宙を、大地を、酒を、蝶を、花を、雲を、空を、風を、森を、月を、孤独を、そして戦争をも歌いなしてきた。文字は持たなくとも、言葉や詩を持たない民族はついにこの地上に登場しなかったのではないか。


いつか世界中の、言葉の力に満ちたコーヒーの詩を集めた詞華集（アンソロジー）を、仲間たちと編むことができたならば、と夢想する。


まだまだ紹介したい詩はあるだろう。

たとえば、清水昶（あきら）（1940〜2011）に「背中だけの男」という詩がある（詩集『野の舟』河出書房新社／一九七四年）。

その冒頭、十行を書き出してみよう。

背中だけの男

一九七三年二月某日

解放戦線負傷兵捕虜と米軍捕虜が交換された。

わたしがコオヒイの湯気に揺らめき
椅子の上で蜻蛉ににている朝の向こう
きみは背中で世界中を拒んでいた
わたしが新鮮な牛乳をのみほしているとき
血よりも濃いにくしみをのみつくし
汚れた視線を排除するため
汚された外套を閉じなおす

きみのなかにひろがった
紫の高原が
身を灼きつくす戦場だった（と書いてある）

この詩人は、「コオヒイ」と書きつけて、その湯気の揺らめきの向こうで、一九七三年の二月某日の朝、ベトナム解放戦線負傷兵捕虜と米軍捕虜との交換の報道を目撃する。世界をあちらとこちらに激しく二分しているのは、ほかならぬ「コオヒイ」の湯気の揺らめきである。コーヒーの湯気の向こうには「孤独」の影がつきまとう。本来、コーヒーには、人と神、人と人との交感、交流が目撃されたはずなのに。

「インターネット時代」などと呟いてみて唇寒い今日この頃、ウェブ上の「世間」では、「言葉＝記号」によって、つまり言語記号のデジタル性を遺憾なく発揮した、一分の隙もない「暴言」や「誹謗」や「中傷」やらが、推敲とも校正とも無縁に、数々の刺激的な誤字脱字を織り交ぜながら、世界のネットワークをいつ尽きるともなく飛びかっている。

そんな時代、世界のコンピューター・ソフト市場を牛耳る一大帝国マイクロソフト社は、アメリカ合衆国ワシントン州シアトルに本拠地を持った。そして同じ北西海岸の町シアトルからは、世界を席巻したエスプレッソ・コーヒーの一大チェーン「スターバックス・コーヒー」が発祥している。

世界の株式市場をコンピューターのネットワーク上で監視し続ける若きビジネス・エリートたちの傍らには、イエメン山中のどこかでスーフィーたちが淹れた濃厚な黒い液体に拮抗するかのような、本格的なエスプレッソ・コーヒーが置かれているに違いない。

そこに世界を見通せる真の「ウィンドウ」はあるのか、ないのか。

ともかく、眠るな、戦え、負けるな、戦え、明敏に、明晰に、合理的に、理知的に、眠るな、仕損じるな、と、現在のデジタルな「ズィクル」がどこまでも続く。どのOS上を走る「神」の名を唱えているのかは、わからないままに。

ウェブ上で世界中にネットワークされている孤独の果てなき旅には、どんな一杯のコーヒーが似合うのだろうか。そこには芳しく甘いアラビアの幸福の風は吹くのだろうか。

ぼくを、あなたを、友人たちを、妻たちを、子供たちを、親たちを、きりきりと蝕む見えない悪意が、精神の荒廃が、疲弊がそこかしこにあり、精神の戦争が仕掛けられているというのに。

どんなに拙くてもいいから、こんなときにこそ、言葉が、詩の言葉が欲しい。とびっきりの深く焼き込んだ苦いコーヒーを添えて。


これでぼくの「詩とコーヒー」をめぐる旅をひとまずお開きにしよう。

手付かずのことがたくさん残されている。

たとえば、この国の戦前の、モダニズムの詩人たちの遭遇した西洋としての「コーヒー」、あるいはコーヒーとしての「西欧」もしくは「近代」。

モダニストたちの遺したコーヒーと詩は、「戦争」に「殺されたのか」という問いかけは、いまのぼくの手に余るものの、コーヒーをこの国が体験した「西欧化」の象徴とみなすのならば、近代百五十年の「詩とコーヒー」を考えることは、避けては通れない宿題として、あるには違いない。

たとえば、春の銀座の点描。

前衛のモダニズムの詩人、北園克衛（1902〜1978）の、コーヒーの香りを記録した詩だ。

銀座の白いアヴェニュウは
ガラスの風が吹いてゐて
ぼくらの夢を切つてゆく

朝の十時
コオヒーとパンの匂ひが街にながれ
飾り窓の菫の花の

そこだけが
ガラスをよぎるシャルマンな
女の声で影になる
（詩集『若いコロニイ』「水のプリズム／春の葉書」）

この詩が収録された詩集を昭和七年（一九三二年）に上梓した北園克衛は、昭和十七年に結成された日本文学報国会の「詩部会」に監事として名を連ねることになる。総力戦のなかで、日本の前衛のモダニズム詩で描かれたコーヒーのその後は、どうだったのか。菫の花の影のように可憐な詩が、総力戦に突入していく暴力装置としての国家権力によって踏みにじられていく史実のその先で、生き延びているぼくたちの詩を、コーヒーを考察する旅は終わらない。

この章は「『詩とコーヒー』試論への断章」(日本コーヒー文化学会『コーヒー文化研究』第5号掲載、一九九八年）を、大幅に加筆・削除、再構成したものです。

コーヒーの基礎知識

【植物としてのコーヒー】

アカネ科コーヒーノキ属コーヒーノキの祖先は、人類誕生の遥か昔にアフリカ大陸に生まれ、およそ四百万年前にはアフリカの熱帯地域全体に広く分布していたとされている。最初のヒト属（ホモ・ハビリス）の誕生が二百四十万年前、ホモ・サピエンスの誕生が二十万年前だから、コーヒーノキは、ぼくたちの祖先よりも地球上の生物として遥かに先輩であることがわかる。

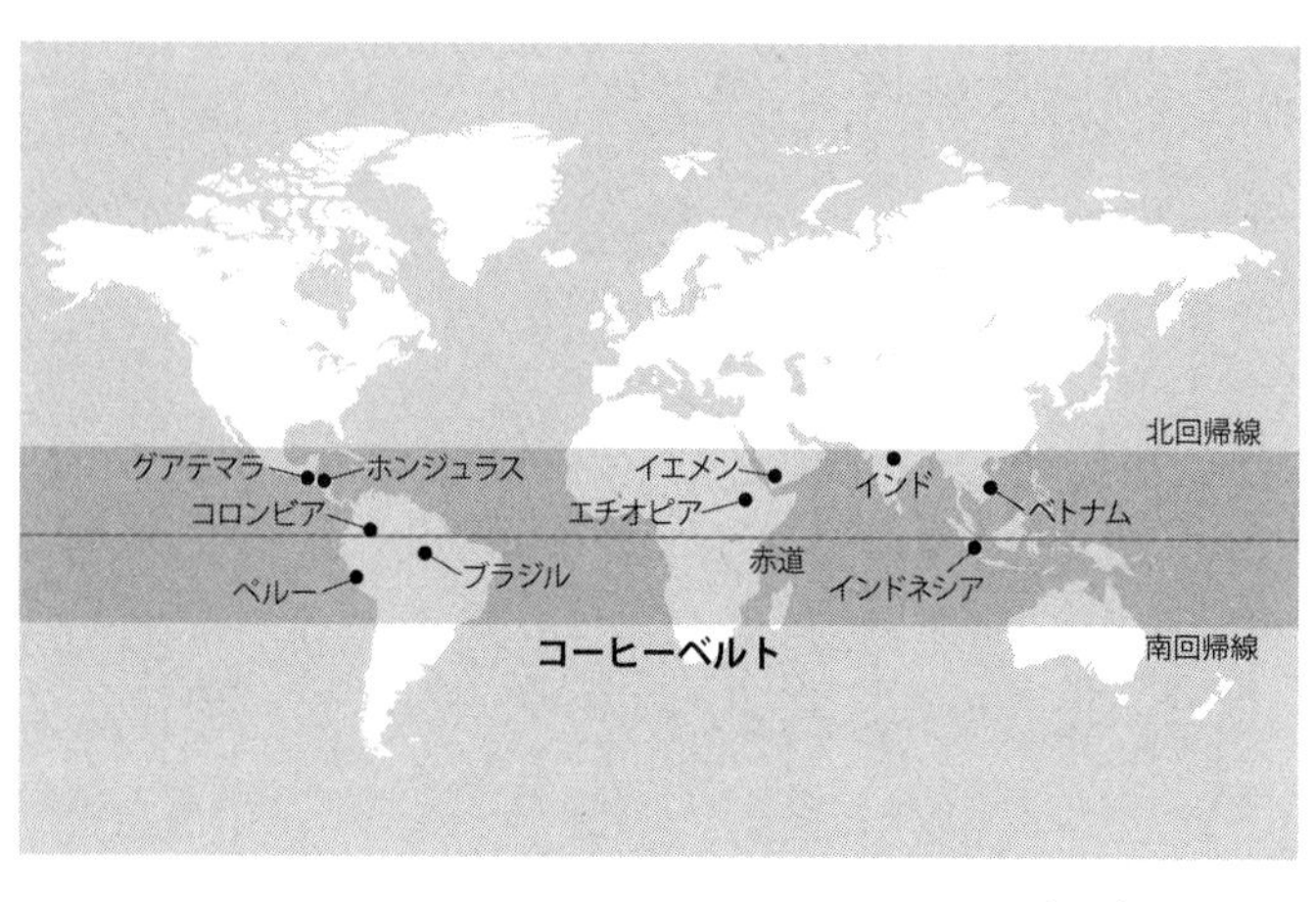

【栽培適地「コーヒーベルト」】

コーヒーノキが世界に広まらなかったのには理由があった。それはコーヒー、とくにアラビカ種がとてもデリケートな植物だったからだ。世界中で消費されるコーヒーのうち約七十％を占めるアラビカ種の栽培条件は、次の通り。

・**気温条件**　熱帯植物なのに、暑すぎるのは苦手。年平均気温二十二度前後を好む。高温すぎると早熟になり、それが原因で「さび病（第1章・注12）」が発生しやすくなる。逆に低温すぎると未成熟になってしまう。結果的に、熱帯地域の高地が最適地になるが、さらに寒暖の差があると品質もよくなる。

・**降雨**　年間降水量は一、二〇〇〜一、六〇〇㎜くらいが望ましい。雨季が二回ある地域（赤道直下の国々）では収穫期も年二回という産地もある。

・**日照**　アラビカ種は直射日光に弱いので、ゆるやかな山の斜面に植えられることが多い。日除け用の木を一緒に植えることがある。

・**土壌**　火山灰が積もった土壌がよいとされる。窒素、リン、カリウムを豊富に含んだ肥沃な土壌で、なおかつ水はけがよく、pH4.5〜6.0程度の弱酸性の土が最適。

・**標高**　コーヒーノキ（アラビカ種）が栽培されている場所の多くは、標高一、〇〇〇～二、〇〇〇ｍの涼しい高地にある。ちなみに、暑さに強いカネフォーラ種で五〇〇～一、〇〇〇ｍ、リベリカ種だと二〇〇ｍが最適となる。以上の条件を満たす産地が、北回帰線と南回帰線の間に挟まれた熱帯地域に集中している。この産地のゾーンを「コーヒーベルト」と呼ぶ。主な産地の収穫時期は次の通り。一年を通して地球のどこかで収穫されている。

・**収穫時期**

北半球　十月～四月頃：中米（メキシコ、グアテマラ、エルサルバドル、ホンジュラス、ニカラグア、コスタリカ、パナマ、カリブ海（ジャマイカ、キューバ）、エチオピア、ベトナムなど。

南半球　四月～九月頃：ブラジル、ペルーなど。

赤道直下　年に二回：コロンビア、インドネシア、タンザニア、ケニアなど。

【栽培から収穫まで】

・**育苗**　パーチメントつきの種子を苗床にまく。約一ヶ月半から二ヶ月で発芽し、生育したら畑に植え替える。

・**成木**　畑に植えてから三年ほどで、毎年収穫できるまでに成長する。成木は放っておくと、十ｍ以上になるので、収穫しやすくするために、通常は二～三ｍになると剪定する。

・**開花**　ジャスミンのような香りのする白い花が咲く。一週間もたずに花は散る。雨季と乾季がある地域では、雨季の前ぶれに降る「ブロッサムシャワー」後に開花する。

・**受粉と結実**　花が咲いている三、四日のうちに受粉する。風や蜜蜂が媒介する。種子の九十％は自家受粉。めしべの付け根に果実になる子房ができる。その後、緑色の小さな実がなり、開花から七、八カ月ほどで赤く熟す。色と形、大きさがサクランボに似ていることから、これをコーヒー・チェリーと呼ぶ。

・**収穫**　完熟した実を手摘みまたは機械で収穫する。

【精製法】

完熟して赤くなったコーヒーの実は、そのまま放置すると果肉が腐敗するので、収穫後すぐに実から種子を取り出し、生豆に精製する必要がある。

ここで、コーヒー豆の構造を見てもらおう。

内側から順番に書くと、種子（コーヒー・ビーン、生豆）、シルバー・スキン（銀皮）、パーチメント（内果皮）、ミューシレージ（糖分を含んだペクチン層）、果肉（パルプ）、外皮だ。

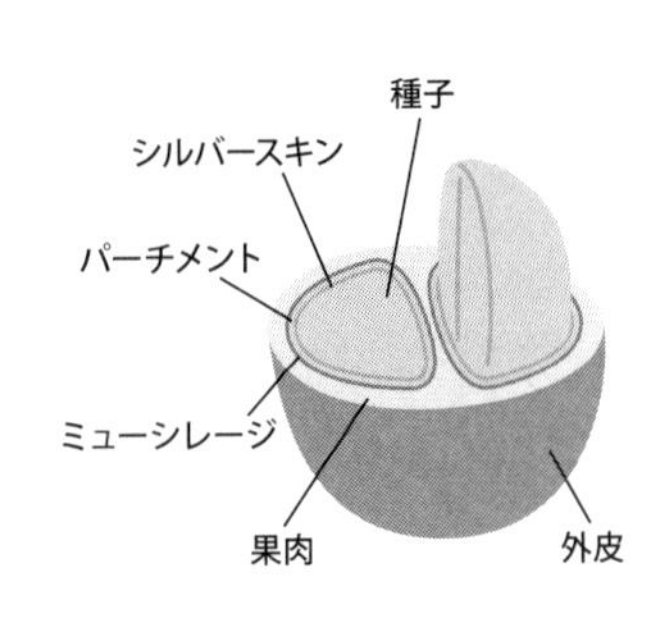

コーヒー豆の精製法には、おおまかに分けて、「ウォッシュド方式」と「ナチュラル方式」がある。

ウォッシュド方式は、洗浄するための水を大量に使用するので、設備や水源の確保に費用がかかり、環境への負荷が強まる場合もある。ただし、均一に仕上がり、欠点豆（小石などの異物、発育不良、虫食い、カビなどの欠陥がある豆）が出にくいという利点がある。

ナチュラル方式は、伝統的な製法で、乾燥の日数や手間はかかるものの、ウォッシュド方式のように水を大量に使うプロセスがないため、排水による環境負荷が少ない。また、産地ごとの風合いも出しやすい。ただし、気候に左右されやすく、品質にばらつきが出る場合もある。

・ウォッシュド方式

①フローター選別：収穫したコーヒー・チェリーを水槽に入れる。浮いてきた未熟な実（フローター）を除去。
②パルピング：パルパーと呼ばれる機械で、外皮・果肉を除去。
③発酵槽：ひと晩、水に漬けて発酵させることで、ミューシレージを取り除き、水路などを利用して水洗いをする。
④乾燥：天日か機械で乾燥させる。
⑤脱穀：脱穀機でパーチメントを取り除く。これで、生豆となる。

・ナチュラル方式

①収穫したコーヒーの実を乾燥場に広げ、干し葡萄のように乾燥させる。
②数週間、乾燥した豆を寝かせたあとに脱穀機にかけて、果肉やパーチメントをいっぺんに除去して生豆に。

脱穀後も種子の表面にはごく薄いシルバースキン（銀皮）が残るが、焙煎することで薄皮（これをチャフと呼ぶ）になって剥がれ落ちる。チャフはまるで細かいカンナ屑や鰹節のようにも見える。

注釈

第1章

注1　イスラーム P23

ここで「イスラム教」と書かないのは、「イスラーム」という言葉のなかに「道、教え」などの意味が含まれているからだ。

本書ではイスラーム関連の用語（アラビア語）の表記については、比較的アラビア語に忠実な表記と、日本で定着している従来の表記が混在している。

例えば、アラビア語に忠実な表記としては、「アラー」ではなく「アッラー」、「モハメット」ではなく「ムハンマド」などとしたが、いっぽうで、日本語表記として定着している「コーラン」は、あえてアラビア語に近い「クルアーン」とはしていない。

また、メッカ、メディナなどのアラビア半島の地名も、基本的にはアラビア語表記のマッカ、マディーナとはせず、従来通りの表記を優先している。

注2　アカネ科コーヒーノキ属（コフィア属）P32

コーヒーノキは、アカネ科コーヒーノキ属に属する植物の総称。本書では、コーヒーという灌木の全体を呼ぶときには、学名の「コーヒーノキ」をそのまま使っている。

コーヒーノキ属の主要な種であるアラビカ種（コフィア・アラビカ）の原産地は、エチオピア高地（古い地名では、アビシニア高原と呼ばれていた）である。ほかに、多数の野生種がアフリカ大陸西部、中部からマダガスカル島と周辺諸島にかけて分布しているが、イエメンで飲まれ、その後、世界の産地で栽培されたのは、しばらくアラビカ種のみであった。

コーヒーノキは、常緑で光沢を帯びた葉と白い花をつける。花はジャスミンの香りがする。鮮やかな赤または黄色の実をつける。その形状がサクランボに似ていることから、一般的にコーヒーチェリーと呼ばれる。その種子からコーヒーの原料となる「コーヒー豆 coffee beans」が採れるが、この「豆」はマメ科の豆のことではない（形状が「豆」のようだから、通称で「豆」と呼ばれたのだろう）。

現在、世界に流通しているコーヒーの品種の約七十％がアラビカ種。残り約二十％強がカネフォーラ種（通称ロブスタ種）、その他がリベリカ種で、この三種類が三原種と呼ばれる。ただし、リベリカ種は現在、ほとんど流通していない。ロブスタ種、リベリカ種は「さび病」（注10参照）の発生後に、耐病性のある品種として新たに発見されたものだ。

注3 エチオピア P32

エチオピアの地に紀元前千年頃に誕生した王国があって、伝説のソロモン王とシバの女王との間に生まれたメネリクが初代の王についたという伝説がある。一世紀頃にアラビア半島の南端（現在のイエメンの地）から移住したサバ人が中心になってアクスム王国（100～940）を建国した。それが、現在のエチオピアとイエメンの一部にできた王国である。

アクスムはその最盛期、現在のエリトリア、北部エチオピア、イエメン、北部ソマリア、ジブチ、北部スーダンに領土を広げ、紅海沿岸部での貿易で繁栄した。古代ギリシアやローマなど、地中海世界の影響も強く受けた。

紀元後四世紀にはキリスト教国になっている。

コーヒーのアラビカ種の原産地だったエチオピアは、現在、世界第六位（四十七万トン）の生産量を誇っている。エチオピアでの栽培方式は次の四つに分類される。

①フォレストコーヒー：原産地ならではの栽培法。自生しているコーヒーの樹から実を収穫する。

②セミフォレストコーヒー：自然林に間引きなどの人の手を少し加えて、自生している樹が育ちやすいようにした上で収穫する。

③ガーデンコーヒー：個々の農家による小規模栽培。ほかの作物も栽培している。エチオピアで最も典型的な栽培方式で生産量の多くを占めている。

④プランテーションコーヒー：大規模農園で集約的に栽培する方法。全体の生産量の十％程度に過ぎない。

主な産地に南部のシダモ地域（イルガチェフェ、ゴテイテイ、ウォテ）、中部東部のハラー地域、カファ地域がある。

イエメンのモカ港が栄えていた十五世紀から十七世紀、対岸のエチオピアのコーヒーも、モカ港から出荷されていたので、「モカ」の名前が慣習的に付けられてきた。なお、モカ港はすでに閉鎖され港の機能を失っている。

コーヒー産地

現在のイエメンとエチオピア

注4　イエメン P33

アラビア半島の最西南部に位置する国。アデンなどの港が古代交易の中心地であり、物資集散地としても繁栄。香料の「乳香」の産地でもある。

古代ギリシア、ローマの時代には、この地は「幸福のアラビア（Arabia Felix）」と呼ばれた。現在のイエメンの場所には、サバ王国（紀元前八世紀〜紀元後三世紀）が存在していた。アラビア語で「サバ」は、ヘブライ語でシェバ（シバ）と呼ばれ、『旧約聖書』に登場するシバ王国と同一視されていた。注3の通り、エチオピアとも深い交流があった。

アラビア半島において唯一のコーヒー栽培適地だった。

コーヒー栽培は、年間を通して温暖で、降雨量一、二〇〇㎜程度の気候を必要とする。この条件を満たすのに、イエメンの西側斜面、古都マハーナを中心とする海抜一、一〇〇mメートルから二、二〇〇mほどの地帯が最適だった。

それ以上標高が高いと寒冷すぎ、それ以下だと暑過ぎて品質のいいコーヒー豆が採れなくなる。イエメンの山岳地帯の西斜面には、紅海からの水蒸気で生まれた雲が適度な雨や湿度をもたらしてくれた。

イエメンの山岳部、とくにバニーマタル地区で栽培されたコーヒー豆は、昔はマハーナで集荷され、キャラバン隊がラクダに積んで山を下り、モカ港から出荷されたことから、「モカ・マタリ」と呼ばれた。

現在のイエメンは、二〇一五年以降、国内紛争が絶えず、政情不安を抱え、コーヒー生産量も品質も不安定である。かつて世界で唯一のコーヒー産地だったイエメンは、現在では、第三十三位の生産量しかない。生産量第一位のブラジルの三五〇万トンに対して、二万トンに過ぎない。

注5　コーヒーの起源をめぐる文献 P33

世界でもっとも信頼できるアラビア語で書かれた最古の文献『コーヒーの合法性に関する潔白』。

著者は、アブダル・カディール・イブン・モハメッド・アル・アンサーリ・アル・ジャザリ・アル・ハンバリ（UCC版での表記）。

短く表記するときには、アブダル・カディール、もしくはアル・ジャザリとされることが多い。昔、『オール・アバウト・コーヒー』を読んでいて、アブダル・カディールとアル・ジャザリが別人なのかと思い、混乱したことがある。

書名の訳語もばらばらで、ハトックスの『コーヒーとコーヒーハウス―中世中東における社交飲料の起源』（注19参照）では『コーヒーの合法性についてのもっとも確実な論証』と表記されている。

この重要な文献の著者名について、あらためてユーカーズとハトックス版を並べてみよう。ちなみに、ハトックスは、アラビア語表記法を「米国議会図書館転写法」に準拠している。

◉ユーカーズ：Abd-al-Kâdir ibn Mohammad al Ansâri al Jazari al Hanbali

「アブダル・カディール・イブン・モハメッド・アル・アンサーリ・アル・ジャザリ・アル・ハンバリ」。

◉ハトックス：Abd al-Qãdir ibn Muhammad al-Ansârî al-Jazîrî al-Hanbalî

「アブド・アルカーディル・イブン・ムハンマド・アルアンサーリ・アルジャズィーリー・アルハンバリー」

とあるが、実は、ハトックス版では、アブド・アルカーディルの前にさらに、「ザイン・アッディーン

(Zayn al-Din)」がつくとしている。とてつもなく、長い名前だ。

『コーヒーの合法性に関する潔白』は、十六世紀当時のコーヒー弾圧への反論を目的に書かれているが、そのほかに十五世紀半ばから十六世紀半ばまでのイエメンにおけるコーヒー導入期の飲用の歴史について詳しく書かれており、もっとも包括的という意味でも重要な文献だ。

その写本は、フランス・パリ、スペイン・マドリッド、ドイツ・ゴータのヨーロッパ三都市版と、アレキサンドリア版がある。

そのパリ写本を使って、ふたりのフランス人によって抄訳された。

ひとつは、アントワーヌ・ガランによる『カフェの起源と発展』(一六九九年)に収録されている。

もうひとつは、アントワーヌ・イサック・シルヴェストル・ドゥ・サシが、1章と2章、7章の一部を訳し、膨大な注釈をつけて『アラビア語主要著作抜粋集』に収録して、一八二六年に出版している。

注6　ドイツ帝国とベルリン P34
ドイツ帝国(1871~1918)は、プロイセンを中心に成立したドイツの統一国家。
初代皇帝はプロイセン王だったヴィルヘルム一世(1797~1888)。
その後、ドイツ帝国は軍事優先の強硬政策により鉄血宰相の異名を持つビスマルク(1815~1898)の主導のもとヨーロッパの大国となったが、ヴィルヘルム二世(1859~1941)が世界政策を展開して第一次世界大戦を引き起こし、その敗北によってドイツ帝国は消滅した。

ドイツ帝国の首都ベルリンは、帝国崩壊後もナチス・ドイツ時代（1933～1945）まで、首都であった。ただ、第二次世界大戦後、東ドイツの首都である東ベルリンと、西ドイツの事実上の飛び地で、周辺をベルリンの壁(1961～1989)で囲まれた西ベルリンとに分断される。ひとつの都市が、国家分裂の象徴的な存在になった。そして一九九〇年のドイツ再統一により、ふたたびベルリンは統一ドイツの首都となった。ニコの住むベルリンは、ドイツという国（地域）の波乱万丈の歴史がぎゅっとつまった街だ。

注7　コプト派 P35
もともとはエジプトのキリスト教徒の教会として発展したコプト正教会（東方諸教会のひとつ）。アクスム王国時代のエチオピアは、四三〇年にコプト正教会の統制下に入った後、コプト正教会から独立してエチオピア正教会として独自の発展を遂げた。

注8　ムハンマドと信者たちをかくまった史実 P36
六一五年、メッカでイスラームの布教を始めていたムハンマドと信者の一団が、メッカの商業を牛耳っていたクライシュ族からの迫害を逃れて、アクスム王国へ逃れたときに国は彼らを保護した。
この史実により、イスラーム勢力が紅海とナイル川の多くの支配権を得ていくなかでも、キリスト教国のアクスム王国とムスリム(イスラームの信者)は友好関係を保ち続けた。その結果、アクスム王国が侵攻されたり、イスラーム化されたりすることはなかった。結果的に、その後のエチオピアも、イスラーム化されることなく、キリスト教国のまま続いた。

注9　ソロモン王をシバの女王が訪ねたという伝説 P36

『旧約聖書』の「列王記」、「歴代誌」に記されたソロモン王とシバの女王の物語。

栄華をきわめるイスラエルの王、ソロモン。シバの女王はその知恵を試すためにソロモン王を訪ね、数々の難問を浴びせるが、ソロモン王はそのすべてに答えることができた。また、ソロモン王の宮殿、食卓の料理、神殿などの様子を目の当たりにした女王は感嘆し、ソロモン王が仕える神を讃え、多くの香料や宝石を贈った。これに対してソロモン王も女王に贈り物をしたほか、彼女の望むものを与えた。こうして女王一行は故国に帰還した。

『旧約聖書』には女王の名前もシバ国の位置も記されていなかったが、この物語は後世、さまざまな伝承・伝説となって広く流布する。

シバ国のあった場所はイエメンかエチオピアか、現在も判然としていない。ただ、アラビア半島の西南部か、紅海を挟んでエチオピアのあたりにシバ国があり、香料や宝石などが豊かだったという伝説が、コーヒーのふたつの故郷に共有されている、ということが興味深い。

注10　コーヒーのさび病　P37

細菌性のコーヒー特有の病気。コーヒーさび病菌 Hemileia vastatrix - ヘミレイア・ヴァスタトリクスが、胞子になって風で運ばれコーヒーノキに付着して、葉にさび状の斑紋をつけ、木全体を枯らしてしまう。いまだに根本的な対策法は見つかっておらず、いったん農園に発生すると、強い感染力で農園全体が全滅する可能性がある。

よく知られているのが、一八六九年にセイロン（スリランカ）で発生したさび病で、これはセイロンでのコーヒー産業を絶滅させてしまった。その後、セイロンが茶の一大生産地になったことはよく知られている。

注11　スーフィー　P39

イスラーム神秘主義者のこと。スーフィーという言葉は、アラビア語で羊毛を意味する「スーフ」に由来する。初期のスーフィーは、粗末な羊毛の衣服を身につけ、世俗的な生活を拒否して禁欲的に生きていた。彼らはキリスト教の修道士の修行スタイルに倣ったのかもしれない。

この神秘主義は、スンナ派やシーア派といった宗派を越えた動きである。神への絶対帰依をめざす修道者であるスーフィーは、世俗から離れて厳しい修行を小集団で行った。十世紀のはじめ頃には、神秘主義に精通した指導者のもと、各地に「スーフィー修養所」が設けられるようになった。

ただし、その修行のスタイルは多様で、有名なところでは、舞踏を通じて神との一体化を求める舞踏教団（メヴレヴィー教団）などがある。

注12　ズィクル　P41

「連唱」のこと。

スーフィーたちが絶えず神の聖名を呼ぶのは、ただひたすら「念仏」を唱えているようなもので、無念無想の瞑想三昧に没入する行為であった。

スーフィーの修行では、六段階のレベルを経てから、ズィクル（連唱）とファナー（消滅）の段階に入るとされる。六段階の修行とは、①懺悔（タウバ）、②律法遵守（ワラア）、③隠遁（ハルワ）と独居（ウズラ）、④清貧（ファクル）と禁欲（ズフド）、⑤心との戦い（ムジャーハダ）、⑥神への絶対的信頼（タワックル）。この六段階をクリアーして初めてズィクルの実践に入ると言われている。

ズィクルは、「神＝アッラー」を称揚するいくつかのフレーズをある身体的な動きとともに、ひたすら連唱するもので、いずれは神との神秘的合一に到達する方法と考えられていた。そして、神との一体感を感じ始め、忘我の境地に達すると、ある種の恍惚状態、エクスタシーが訪れ、自己も他者も世界もその境界を消失するファナー（消滅）の状態になる、という。

ファナーの状態を体験したスーフィーたちは最終的に修行を離れ、再び世俗に還っていく例も見られるそうだ。あるいは、世俗と往還しながら、修行を続けるということもあったという。

注13　キシルとブン　P41
コーヒーの果実は、①外皮、②果肉、③ミューシレージ、④パーチメント、⑤シルバースキン、⑥コーヒービーンズ（種子）という部分で構成されている。

そのなかから⑥だけを取り出したあとの部分。つまり、①から⑤の部分を乾燥させたあと、煮出して飲んだのが、「キシル」と呼ばれたもの。これは、いまでもコーヒー産地ではコーヒー豆を精製したあとの残余物として飲まれたりする。

まるで、漢方の煎じ薬のような味だが、これに砂糖や、カルダモン、シナモン、ジンジャーなどを混ぜ合わせると、それなりに美味しくて、くせになりそうな味だ。

ブンは、①から⑥を丸ごと煮出して飲まれていた。

推測するに、キシルとブン、そのどちらも飲まれていたが、果肉自体は生のままではすぐに腐ってしまうので、収穫後に乾燥させ、種だけを取り出すことが多くなり、やがて、その種（コーヒー豆）を炒って飲むということが始まったのではないだろうか。ただ、残念ながらその進化のプロセスを証拠立てる文献は残されていないようだ。

注14　「ノアの方舟」のノア　P43
『旧約聖書』の「創世記」（六章〜九章）にある物語。神がもたらした大洪水で方舟に乗ることを許されたノアたちの、生き延びたそのあとのエピソードである。

ノアは洪水後の世界で農夫となり、葡萄を栽培しワインを作る。

あるときノアは、ワインを飲み過ぎて泥酔して、裸で寝てしまう。ノアには三人の息子、セム、ハム、ヤフェトがいた。そのうちのひとり、ハムが全裸で寝ている父親の失態を目撃し、セムとヤフェトに告げ口をする。すると、セムとヤフェトは着るものを取って来て、後ろ向きに歩いて裸の父を見ないようにしながら、眠りこけている父に着るものを掛けてやった。つまり、セムとヤフェトは父親に恥をかかすことなく、その尊厳を守ってやったのだ。

あとでこのことを知ったノアは、告げ口をしたハムを厳しく叱責し、いっぽうセムとヤフェトの行いを賞讃した。

ハムを叱責するのに、ハムの子孫であるカナンに対して、呪った、というからすごい。悪いのは酒を飲み過ぎた父親であって、ハムにしてみれば、とんだ八つ当たりを食ったわけだ。

この三人の兄弟は、その後、地上のさまざまな民族へと枝分かれしていくことになる。

いずれにしても、ノアは、最初に葡萄を栽培し、ワインを作った人間であり、同時に、泥酔して失態を起こしてしまった最初の人でもあった。

ちなみに、大洪水のおさまったあと、ノアの方舟が大地に降り立った場所として、トルコのアララト山は有名だが、アラビア半島の最高峰、イエメンの古都サヌアのそばにそびえるナビー・シュアイブ山（標高三、六六六m）も候補のひとつと言われることがある。

ノアが作ったのがワインではなくてコーヒーだったら、なんて妄想するのは楽しいことだが。いずれにしてもコーヒーは、アラビア語でカフワ（果実酒）と呼ばれていたのだから、「イスラームのワイン」と呼ばれるのも、あながち的外れではない。

注15　幸福のアラビア　P44
古代ギリシア、ローマ時代から、アラビア半島の南部（イエメンのあたり）は、ラテン語で「幸福のアラビア（アラビア・フェリックス）」と呼ばれた。その実態はよく知られていたわけではないが、香料（乳香）の産地として潤う異国の桃源郷的なイメージを、憧れを込めてそう呼んだ。
アラビア半島の大半は砂漠と岩の荒涼とした「砂のアラビア」か「岩のアラビア」だったが、イエメンは、北部山岳地帯の気候のおかげで二度の雨季があり、濃い緑に恵まれ、古代から農耕が盛んだった。緑豊かなイエメンは、まさに「幸福のアラビア」だったのだ。

注16　香辛料貿易　P47
香料貿易ともいう。
インド原産のコショウ、シナモンなどの香料が、ペルシア湾を越えてイエメンのアデンなどの港経由で紅海を北上し、東地中海沿岸部（レヴァント地方）からギリシア、ローマなどの地中海世界にもたらされた。このとき、アラビアの商人たちがインドと地中海世界の仲介者となり富を独占した。ヨーロッパへの窓口は、東地中海沿岸部とヴェネツィアの商人たちだった。

その後、インド人の手により、セイロン島や東南アジア地域にもコショウ、シナモンの生産が広がった。インドネシア東部のモルッカ諸島の一部が原産地となっているナツメグ、クローブなども、香辛料貿易の商品に加えられるようになった。

十五世紀以降、新航路がヨーロッパ人によって発見されると、ポルトガルが香辛料貿易を独占するようになる。そして、ちょうどその時期に、イエメンで「発明」されたまったく新しい飲料「コーヒー」が、香辛料に変わる貿易商品となり、アラビアやカイロの商人たちによって、独占的に扱われるようになった。

注17　マムルーク朝 P48
預言者ムハンマドの死後のイスラーム社会では、さまざまな王朝、帝国の興亡が各地で繰り返された。マムルーク朝は、一二五〇年から一五一七年の間、奴隷身分の騎兵を出自とした軍人が君主（スルターン）となって起こした王朝。

エジプトのカイロを首都とし、メッカ、メディナというイスラームの聖地を領地内で保護して栄えた。二百五十年以上続いた王朝だが、基本的に王位は世襲制ではなく、軍人のなかから就任した。

一五一七年に拡大を始めたオスマン帝国によって滅ぼされる。ドイツではマルティン・ルターが宗教改革の狼煙(のろし)をあげた年である。

ちなみに、マムルーク朝の高官としてメッカに駐在していたハーイル・ベグ・アルミーマールがモスクの一角でコーヒーを飲んでいる者たちを発見した、一五一一年の事件のわずか六年後のことだった。

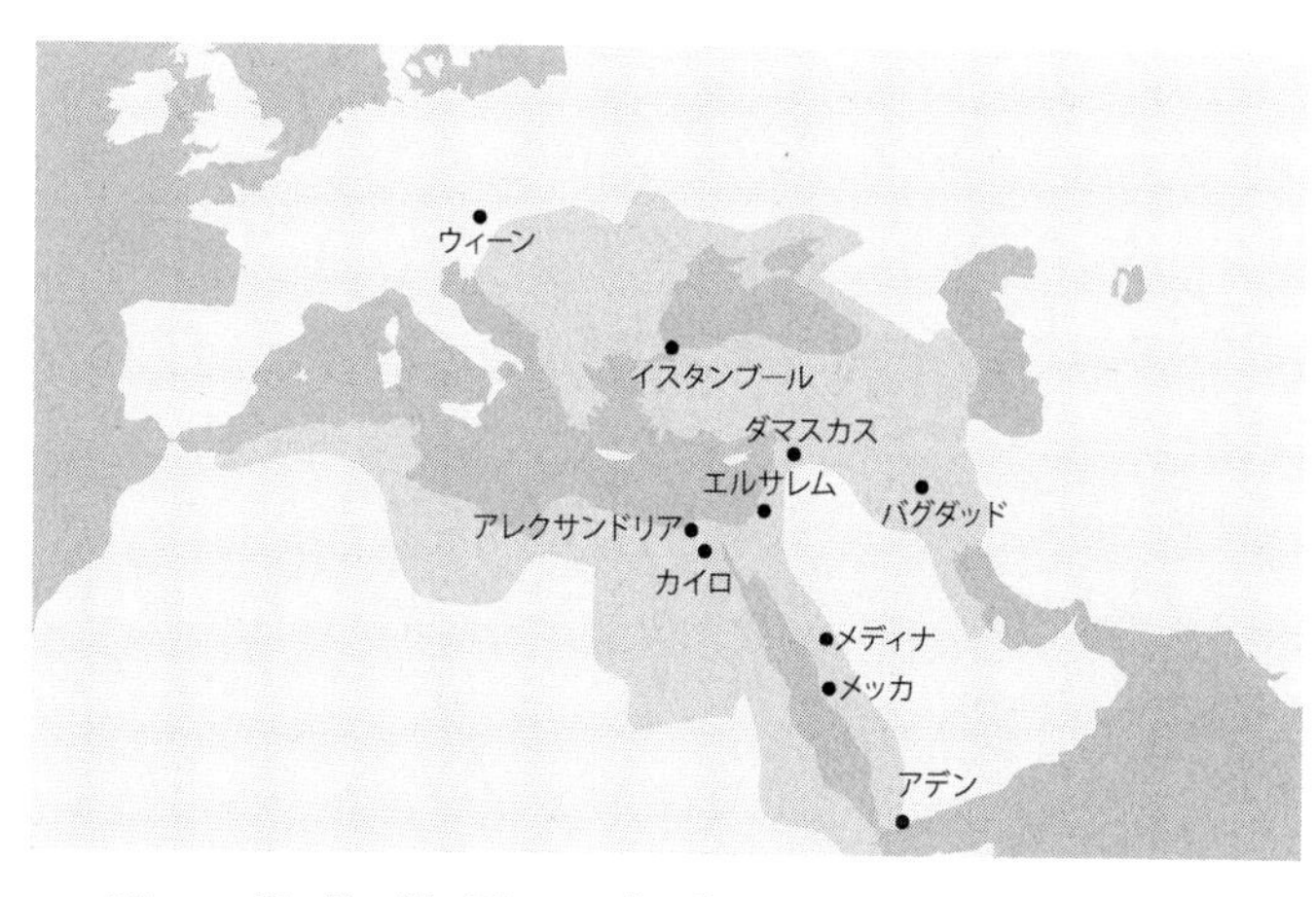

注18　オスマン帝国の首都イスタンブール P49

中央ユーラシアから移住してきたトルコ系遊牧民が十一世紀にアナトリア半島へ移住し、オスマン朝を興した。十三世紀末にはトルコ人の遊牧部族長オスマン一世（1258〜1326）が率いた軍事的な集団が勢力を増していき、一二九九年に建国した。一四五三年にオスマン帝国のメフメト二世（1432〜1481）は東ローマ帝国の首都コンスタンティノープルを攻略し、滅ぼした。以後、この都市はイスタンブールと名前を変え、オスマン帝国の首都となる。さらにその後、ギリシア全土も支配下に入れる。十七世紀のオスマン帝国の領土は最大で、東西はアゼルバイジャンからモロッコ、南北はイエメンからウクライナ、ハンガリーに至ったが、十八世紀になると、ロシアをはじめとしたヨーロッパ諸国からの攻勢を受け、徐々に領土を失っていく。帝国自体は弱体化しながらも一九二二年に消滅するまで延命した。ドイツと同盟を組んで第一次世界対戦に参戦するも、敗戦したことで滅亡への道を転げ落ちることになった。

四百年以上も続いた帝国の最盛期は、在位四十六年に渡るスレイマン一世（1494〜1566）の時代だった。コーヒーはこの時代、オスマン帝国の支配下の都市に行き渡った。それはイエメンから紅海を通ってエジプト経由で運ばれ、イスタンブールでも、金角湾に面した地区から町全体に広まった。

オスマン帝国は民族を越えた国家を形成し、異教徒も優秀ならば重用する社会システムを持っていたため、首都イスタンブールは民族の坩堝であり、情報交換を目的とする「コーヒーの家（カーヴェ・ハーネ）」も全盛を迎えた。

スレイマン一世の時代は、コーヒーの家に集まる男たちの談笑が体制の批判にまでエスカレートすることを恐れた当局が、コーヒーを禁じるファトワー（権威のあるイスラーム法学者が発する意見書）を発布したが、結局のところ、コーヒー売買から得られる税収が、国家にとって重要な収入源になっていたために、このファトワーは撤回されることになった。

注19『コーヒーとコーヒーハウス―中世中東における社交飲料の起源』P50

オスマン史研究者のラルフ・S・ハトックス Ralph S. Hattox（1954〜）が、プリンストン大学在学中に書いた博士論文がベースになっている。原著は一九八五年に出版された。

中世の中東における社交飲料としてのコーヒーの起源を包括的に記述したもので、十六世紀に巻き起こったコーヒー大論争と、イエメンでのローカル飲料が、いかに中東でメジャーな飲料に育ったかをつぶさに見ている。

イスラームにおける酒の禁止についての考察や、コーヒーをめぐる論争を通して見る中世イスラーム圏の医学や、酒抜き居酒屋としてのコーヒーハウスのもたらした社会的なインパクトに対する興味深い考察もある。

注20　ヴォルテール（1694〜1778）P55
本名はフランソワ＝マリー・アルエ（François-Marie Arouet）。
フランスの哲学者、文学者、歴史家。イギリスの哲学者ジョン・ロックなどとともに啓蒙主義を代表する人物とされる。また、ドゥニ・ディドロやジャン・ル・ロン・ダランベールなどとともに百科全書派の学者のひとりとして活躍した。思想家のルソー、ディドロなどとともに、「カフェ・ド・プロコプ」の常連客だった。コーヒーとココアを混ぜた飲み物を好んでいた。

注21　パリの古き良き時代　P56
良き時代＝ベル・エポック（Belle Époque）とは、一般的に十九世紀末から第一次世界大戦勃発（一九一四年）までの、パリが繁栄した華やかな時代をさす。
フランス革命の大混乱から始まったパリの十八世紀は激動の時代だった。後半になっても、第二帝政、普仏戦争、第三共和制、パリ・コミューンと目まぐるしい社会の変革期に、ベル・エポックがあった。
産業革命も浸透し、資本主義の成熟も人々の日常生活に影響を及ぼすようになっていた。パリに人口が集中し、ボン・マルシェ百貨店が一八八七年にリニューアル・オープンしたことを皮切りに消費文化が花開き、一九〇〇年には約五千万人もの入場者数を記録した第五回パリ万国博覧会が開催され、同年に地下鉄も開通した。そして、第一次世界大戦後の一九二〇年代は、ベル・エポックと対比させて、狂乱の時代（レ・ザネ・フォル Les Années Folles）、アメリカではジャズ・エイジと呼ばれる。

注22　啓蒙時代 P57
ヨーロッパで啓蒙思想が主流となっていた十七世紀後半から十八世紀にかけての時代のこと。啓蒙思想とは、封建社会のキリスト教的世界観に対して、合理的な世界観を説き、人間性の解放を目指した思想。フランス革命にも影響を与え、絶対王政と重商主義にも影響を与えた。
この時代、アルコールによる酩酊よりも、コーヒーによる覚醒が似合う時代と言えるだろう。多くの思想家たちが、コーヒーに夢中になった。歴史家ミシュレ（1798〜1874）もコーヒーの出現が、人間の飲酒癖に変化を与えたと指摘している。まさに、コーヒーは、啓蒙時代のヨーロッパにうってつけの飲料だった。

注23　認証制度 P59
消費行動を通して生産地、生産者を支援、あるいは連携する形で労働環境の改善、経済格差の解消など、人類共通の課題を解決するという動きが、二十世紀末から世界的に始まっている。
コーヒーの生産も環境や経済格差、労働者の人権に関わる問題と関係している。

認証制度は産地支援策としてある。そのなかから、フェアトレードとバードフレンドリー®コーヒーを紹介しよう。

フェアトレード認証コーヒー

一九九七年に、国際フェアトレード機構が設立され、ロンドンやニューヨークの国際市場の決める価格に影響を受けない「フェアトレード価格」を定め、発展途上国の小規模コーヒー生産者を支援する仕組みを作っている。生産者側も、自分たちで生産者組合を作り、生産性の向上や市場への直接アプローチも模索し始めている。

バードフレンドリー® コーヒー

「米国スミソニアン渡り鳥センター」が一九九九年に発足させた認証プログラム。コーヒーのために日陰を作るシェードツリーを維持するコーヒー農園が、渡り鳥の生息地となっていることを発見し、このプログラムが発案された。

十一種以上の有機栽培の樹があること、そのうち二十%を約十五m以上の大木が占め、約六十%を十二m以上の中木が占めることなどの認証基準を設け、森林、渡り鳥、生産者を守る。また、農業をしながら森を再生する農法（混合農法アグロフォレストリー）で樹木を植栽し、樹木の間で農作物を栽培したり、家畜を飼育したりを、コーヒー農園でも取り組んでいる。

バードフレンドリー®認証を取得している農園は現在、中南米、アフリカ、インド、アジアで十二カ国、四六〇〇以上の農園が参加している。たとえば、マヤの先住民たちが手仕事でコーヒー栽培しているグアテマラの「アソバグリ組合Asobagr」のような生産者団体が参加している。

完全に山岳地帯もあれば、なだらかで広大な斜面を確保できる産地もある。機械化は、ある程度はできるものの、やはり労働集約型の農業であることは変わらない。

第2章

注1　ロンドンのコーヒーハウス　P101
一六五二年にはロンドンで初めてのコーヒーハウスが開店した。その後、王政復古（一六六〇年）、ロンドン大火（一六六六年）を経て、十八世紀初頭には、ロンドン市内で二千軒ものコーヒーハウスがあった。
ロンドンのコーヒーハウスは、コーヒー以外に、茶、ココアを出したが、アルコールは出さなかった。
それまでは、イギリス男性が集まる共通の場所がパブ（居酒屋）だけで、アルコールのない、酔いを生じない公共の場所としてコーヒーハウスが出現し、情報交換、意見交換の場所として、多くの人に受け入れられたのだ。酒を出さない新しいタイプの社交場というのが、まさに、コーヒーハウスの売りだったからだ。

注2　トルココーヒーの文化と伝統　P107
トルココーヒーの源流がアラビアコーヒーにあることは言うまでもない。ユネスコに登録されたのがアラビ

アコーヒーではなくて、トルココーヒーだということには、いささか承服しかねるが、オスマン帝国の治世下で、コーヒーが西欧社会に広く知られたことを考えると、これも仕方ないことかもしれない。

アラビアコーヒーの点て方を、ここには記しておこう。

まず、鉄製の柄杓にコーヒー豆を入れて、真っ赤に燃えさかる炭の上に乗せ、焦げないようにかき混ぜる。やがて豆が弾けだすので、黒焦げになる前に、火から下す。次は、焼けたコーヒー豆を石臼で粉状に挽く。出来上がった赤黒い粉をコーヒーポットに水と共に入れ、火の上にかざし、時々棒でかき混ぜながら、ゆっくり沸騰するのを待つ。

表面にうっすらと泡ができたコーヒーを、卵くらいの小さな器に、粉が混入しないように静かに入れて出来上がりだ。

この一連の作業を客が来てから始め、談笑しながら仕上げるのが初期コーヒーの作法だった。

注3　セム系語族 P108
セム系の言語を使用する人々の総称。セム系の言語には、アラビア語、アムハラ語、ヘブライ語、ティグリニャ語、アラム語などがある。
「セム」とは旧約聖書に登場するノアの息子の名に由来している。居住地域としては、中東、西アジア、北アフリカ、アラビア半島に広がる。
このセム族に共通して伝わるアブラハム一族の物語をベースにしているのが、ユダヤ教、キリスト教、そしてイスラームの三宗教である。初期のイスラームは、先行するユダヤ教、キリスト教と立場が同じであることを強調したが、キリスト教はイスラームを認めないだろうし、ユダヤ教はキリスト教もイスラームも認めないという構造にはなるだろう。この三宗教は、「セム族の啓示宗教」と呼ばれている。

注4　ニカラグア事件 P110

アメリカ政府による反政府組織への軍事援助や封鎖などの行動に対してニカラグア政府が国際司法裁判所に提訴した事件。国際司法裁判所は一九八六年、アメリカ政府の活動の違法性を認める判決を下した。この事件の背景には、一九五九年のキューバ革命の成功により中南米地域で拡大する親ソ連勢力を排除するためには、軍事力の行使も厭わないアメリカの振る舞いがあった。

注5　元寇 P114

鎌倉時代中期、モンゴル帝国（元）とその属国であった高麗による二回の対日侵攻のこと。一回目は一二七四年（文永の役）、二回目は一二八一年（弘安の役）。この二回の元寇のいずれも元軍に甚大な損害をもたらした暴風雨のことを「神風」と呼んだ。

注6　十五年戦争 P115

第二次世界大戦に参戦した日本の「戦争」の名称のひとつ。

十五戦争年とは、一九三一年の柳条湖事件勃発から、一九四五年のポツダム宣言受諾と降伏までの足掛け十五年にわたる日本の対外戦争（満洲事変、日中戦争、太平洋戦争）の全期間をひとまとめにして呼ぶものである。この名称には、この戦争が、柳条湖事件に端を発したものであるという認識と、日本政府、および軍部の責任の全域を明らかにしようとする態度がこめられている。

注7　イラク戦争 P117

イラク戦争は、アメリカ合衆国が中心となり、二〇〇三年三月二十日から、有志連合（イギリス、オーストラリアなど）によって、イラクの大量破壊兵器保持疑惑を理由に『イラクの自由作戦』名でイラク侵攻から始まった。

パパ・ブッシュ大統領が始めた湾岸戦争に紐づけて、第二次湾岸戦争とも呼ばれた。結局、戦争の口実になった大量破壊兵器は発見されず、イラク国内の治安悪化を引き起こすという最悪の結果を招くことになった。

二〇一一年十二月十四日、米軍の完全撤収によってオバマ大統領がイラク戦争の終結を正式に宣言するまで、八年間も続いた無益な戦争であった。

注8　アキ・カウリスマキ P120
フィンランドの映画監督。彼の映画は失業者、移民、難民といった社会的な弱者に常に寄り添っている。一九五七年にフィンランド・オリマッティラで生まれる。

一九八三年、ドスエフスキーの『罪と罰』に基づいた初の長編作品がフィンランド国内で注目される。一九八六年の『パラダイスの夕暮れ』が東京国際映画祭やカンヌ国際映画祭に出品され、国際的に注目される監督になる。

二〇〇二年、『過去のない男』で第五十五回カンヌ国際映画祭グランプリを受賞。なお、この作品は、アメリカのアカデミー賞の外国語映画部門でノミネートされていたが、アメリカ主導のイラク攻撃に抗議するため授賞式をボイコットし、米映画芸術科学アカデミーに手紙を出した。そのなかで「アメリカが、恥ずべき経済的な理由から非人道的な犯罪を犯そうとしている時期に開催される授賞式には、私も、私の製作会社の誰も参加するつもりはない」と述べた。

二〇一七年、『希望のかなた』が第六十七回ベルリン国際映画祭で上映され、銀熊賞を受賞した。

注9　ATTAC P133
フランス語の「Association pour la Taxation des Transactions pour l'Aide aux Citoyens」の頭文字。直訳すれば「金融取引への課税と市民活動のための協会」。
一九九七年、ル・モンド・ディプロマティークでイグナシオ・ラモネ編集長がトービン税の導入を提唱した。トービン税とは、ジェームズ・トービン（イェール大学経済学部教授）が一九七二年に提唱した税制度で、投機目的の短期的な取引を抑制するため、国際通貨取引（外国為替取引）に低率の課税をするというもの。一九九八年、ラモネ編集長の提唱を受けて、フランスでＡＴＴＡＣが創設された。その後欧米各国などにも次々と広がり、欧州社会フォーラムなど大きな国際会議の開催時には各国から関係者が集まって各種運動を展開している。

ＡＴＴＡＣの成果として挙げられるのが、航空税である。これは、航空機を利用できる人間は富裕層に属するという観点から、旅行者ひとりにつき数百円程度の税金を徴収し、この税金を貧困国への援助に充てるというものである。フランスではジャック・シラク大統領が提唱し、二〇〇五年に導入が決まった。

第３章

注1　敷石の下には、砂浜が！（Sous les pavés, la plage !）P143
フランスの五月革命のときのスローガンのひとつ。
学生たちは、パリ市街の舗道の敷石をはがして、バリケードを作ったり、投石に使っていた。
言葉の意味としては、敷石をはがすと砂地が出てきたことと、夏の砂浜の自由で解放的なイメージとを掛け合わせた秀逸なスローガンだった。

注2　内ゲバ　P144
内部ゲバルトの略。ゲバルト Gewalt はドイツ語で暴力の意味。つまり内ゲバとは、同一陣営または同一党派などの内部での暴力を伴う抗争のこと。
日本では、一九六〇年代以降の左翼党派内、左翼党派間、学生運動や新左翼党派間での暴力を使用した党派闘争のことを指す。

注3　ニクソン・ショック　P148
一九七一年にニクソン大統領の中華人民共和国への訪問予告と、米ドル紙幣と金との引き換えを一時停止したふたつの発表を指す。このふたつの政策転換が、その後、世界経済に大きな影響を与えた。
戦後の固定為替制度の一ドル三五〇円という超円安によって支えられていた輸出産業を中心にした日本経済の成長は、大きく揺らぐことになり、高度経済成長の時代から低成長時代への転換を余儀なくされた。

注4　『blend』P154

柴田書店の書籍部が一九八二年に創刊号、翌年八三年にNo.2とムック形式で出版した。
『blend』が目指したのは、コーヒーそのものだけをテーマにするのではなく、コーヒーを通して世界を見ることだった。
そういう意味では、二〇一七年に創刊された『Standart』には、三十数年後に実現した『blend』の拡張した姿を見るような思いがある。

注5「逢魔が辻」P158
『blend』No.2に山口昌男と森尻純夫との対談「コーヒーをめぐる小宇宙」で登場した言葉だ。そのやりとりはこうだった。

山口　日本以外のいろいろな国で、コーヒー屋の空間に、日本と違ったある種の特徴があるとしたら、町の曲角(まがりかど)がコーヒー屋になっていることが非常に多いでしょう。
森尻　ああ、なるほど。
山口　結局、パリみたいな至る処にカフェがあるところで、角がコーヒー屋になっていることが多いわけです。最近は銀行になっていることが多いわけです。アルゼンチンとかああいう白人文化圏とでもいうような国に行っても、曲角はコーヒー屋ね。
森尻　なるほど逢魔(おうま)が辻(つじ)ですな。
山口　それは東欧でもそうだと思うんです。チェコは自分で行って思いましたけど、ちょっと曲る時に、コーヒーを飲む傾向があって。コーヒー屋というものが何かそこで発想が転換される場所というふうな、そこでまた人と出会うから、ほんとうに角にあるのが、非常にいい。だから角は意識的にコーヒー屋には便宜をはかる形で、町が育ててきたという感じがあるんだけど、日本には角になくて並びにあって、やたら凝っちゃってね。

では、それを「辻」という曲角の空間における「何やら妖怪的な怪しいものに出会い」そうな空間という意味だとしたら、カフェの持っている多様な人々に開かれたパブリックな意味での空間に、文化的に言うところの怪しいもの、つまり魅力的な、不思議な人やモノに出会える場所のことを、「逢魔が辻」とふたりは名付けたのだ。

「逢魔が時」の時間を空間に転用しての、独自の言葉だと思われる。「逢魔が時」だと、通常の黄昏時、薄暗くなりかけた時刻から転じて、「何やら妖怪、幽霊など怪しいものに出会いそうな時間」と言う意味で使われる。

注6『Standart』P163

『Standart』は、二〇一五年にスロバキアで創刊された季刊誌で、アートとジャーナリズムを通じてコーヒーの周りにあるヒト、モノ、コトにまつわる記事が並んでいる。書き手は世界各地のジャーナリスト、研究者が登場し、産地取材、消費国でのカフェや業界人の紹介などが新鮮である。

チェコ語、スロバキア語、英語、ロシア語、日本語と多言語で出版され、世界五十三カ国以上で販売されている。日本語版は二〇一七年三月に創刊された。

編集、デザインのスタッフは、世界各地に居住して、オンラインで企画会議をし、編集作業をシェアして、従来の出版業にない新しい制作、販売体制を作り上げている。まさに、地球規模の多文化共生を理念にした新しい「コーヒー文化」の価値観を発信できるメディアになっている。

第4章

注1　ジャズ・エイジ P169
第一次世界大戦が終結した一九二〇年代、アメリカではジャズが流行した。一九〇〇年頃にニューオリンズで生まれたジャズは、二十年かけて、シカゴ、ニューヨークを舞台にしてメジャーな音楽になっていった。そして、禁酒法時代のギャングたちによる「違法酒場」でも、欠かせない音楽がジャズだった。違法酒場に集うミュージシャンによって、あるいはこの時期に普及し始めたレコードやラジオによって、ジャズは一九二〇年代初頭のアメリカを代表する音楽になっていった。

この時代の空気、気分は、一九二九年の世界恐慌によって終焉した。

F・スコット・フィッツジェラルドの『ジャズ・エイジの物語』（一九二二年）に由来するとも言われている。

アメリカでのジャズ・エイジ Jazz Age とは、フランスでの「レ・ザネ・フォル」（狂乱の時代 Années folles）に相当する。

注2　禁酒法　P169

一九二〇年から一九三三年までアメリカ合衆国憲法修正第十八条下において施行された。消費のためのアルコールの製造、販売、輸送が全面的に禁止された法律である。

禁酒法施行以前は、マフィアの主な活動は賭博と窃盗に限られていたが、禁酒法時代、無許可で酒を製造販売することで大いに繁栄した。マフィアの資金源となった酒の闇市は栄えたが、暴力沙汰も頻繁に起こるようになった。強大化したギャングは法執行機関を腐敗させ、恐喝するまでになる。ギャングは酒の密輸で利益を上げ、よりアルコール度数の強い酒の人気が急騰した。

禁酒法のせいで、本来アルコールにかかるはずの年五億ドルの税収が失われたため、連邦政府の財源にも悪影響を及ぼした。

注3　「コーラン」P178

イスラームの聖典。唯一無二の神アッラーから大天使ガブリエル（ジブリール）を介して最後の預言者、ムハンマドに対して下された啓示をまとめたもの。

アラビア語の読みにより近い表記だと、「クラーン」、あるいは「クルアーン」となるが、本書では、「コーラン」と表記する。

「コーラン」について、まず知っておくべきことを列挙すると。

・イスラームの第一聖典である。
・唯一無二の神アッラーから最後の預言者、ムハンマドに対して下された啓示そのものをまとめたものである。
・ムハンマドの生前に多くの書記によって記録され、死後にまとめられ、現在は114章からなる。
・「コーラン」という名称はアラビア語で「詠唱すべきもの」を意味する。
さて、ムハンマドの時代、アラビア社会では、部族ごとに卓越した言葉の使い手たちが詩人となって、それぞれの部族の威光を高めるために詩を書き、尊敬を集めていた。

そんな詩を遥かに凌駕する聖典「コーラン」の言葉が、イスラームにおける奇蹟だった。

だからこそ、「コーラン」はアラビア語のまま読誦することが基本になっている。

そこで、他の言語に翻訳された「コーラン」は、聖典そのものではなく、聖典への理解を深めるための補助的な参考書ということになる。

この本を書くにあたってぼくは、大学時代の教科書だった『日訳・注解 聖クラーン』(三田了一・訳/日訳クラーン刊行会/一九七三年)と、中田考が監修した『日亜対訳 クルアーン』(作品社/二〇一四年)を参照した。

「コーラン」は、章の並びが時系列になっていない。研究により判明している時系列に並び替えて読むと、面白いことがわかる。

例えば、禁酒の教えについて。実はイスラームにおいて、酒は最初、全面禁止ではなかった。酒が禁止されるまでのプロセスを『日亜対訳 クルアーン』の解説によって順番に並べると次のようになる。

①イスラームの始まりにおいては、酒（果実酒）は禁止されていなかった。
16章67節「ナツメヤシとブドウの果実からも。おまえたちはそれから酔わせる物と良い糧を得る。」
②その後、酒の罪（失敗）で禁酒した者もあれば、酒の益もあると飲み続けた者がいた。つまり、まだ、この段階では飲酒には功罪あるが、禁止されてはいない。
2章219節「彼らは酒と賭け矢についておまえに問う。言え、『そのふたつには大きな罪と人々への益があるが、両者の罪は両者の益よりも大きい』。また彼らは、なにを（善に）費やすべきかとおまえに問う。言え、『余分なものを』と。こうしてアッラーはおまえたちに諸々の徴を明らかにし給う。きっとおまえたちは考えるであろう。」
③ところが、飲酒のせいで礼拝のときに重大な過ちを犯す者が現れる。
109章 預言者の高弟のひとりが飲酒したあとで臨んだ日没の礼拝のときに「コーラン」を読誦したが、「言え、不信仰者たちよ、私はおまえたちが仕えるもの（偶像神）に仕えない」と言うべきところを、酔ったせいで、「言え、不信仰者たちよ、おまえたちが仕えるものに私は仕える」という重大な読み間違いを犯すという、大失態をしでかす。
④この大失態を受けて、ついに、礼拝時に酒を飲むことが禁止された。
4章43節「信仰する者たちよ、おまえたちが酔っている時には、言っていることが分かるようになるまで、礼拝に近づいてはならない。」
⑤さらに、礼拝時だけではなく、酒宴での口論から怪我人が出るに及び、ついに飲酒は全面的に禁止になる。
5章90・91節「信仰する者たちよ、酒と賭け矢と石像と占い矢は不浄であり悪魔の行いにほかならない。それゆえ、これを避けよ。きっとおまえたちは成功するであろう。」「悪魔は酒と賭け矢によっておまえたちの間に敵意と憎しみを惹き起こし、おまえたちをアッラーの唱念と礼拝から逸らそうとしているにほかならない。これでおまえたちもやめる者

となるか。」
以上のプロセスを経て、イスラームにおいて酒は全面禁止になった。

注4　「ハディース」P.178
イスラームの世界の法律の根拠になる4つの法源（シャーリア）は、「コーラン」とこの「ハディース（伝承）」と、「イシュマー（合意）」と「キャース（類推）」という構成になっている。「ハディース」は「コーラン」には登場しないが、ムハンマドの言動の記録であり、あとふたつの「イシュマー」と「キャース」は、ムハンマド以降の時代の法学者たちが先行するふたつの法源を参照しながら合意し、類推して作り上げたもの。

注5　ウェルギリウス P.179
プブリウス・ウェルギリウス・マロー Publius Vergilius Maro（紀元前七十年～紀元前十九年）、古代ローマの詩人。ローマの共和政から元首政への転換期の時代を生きた。『牧歌』、『農耕詩』、『アエネーイス』などの作品で知られる。
ウェルギリウスは、大富豪ガイウス・マエケーナスに、その才能を認められ、手厚い保護・援助を得て、古代ローマを代表する国民的詩人への道を歩んだ。
マエケーナスは「文芸の保護者」と呼ばれたエトルリア系の貴族で、ローマの初代皇帝アウグストゥス（オクタウィアーヌス）の政治顧問をしていた人物。『農耕詩』は、マエケーナスに依頼されて書かれたものだった。当時のローマは、慢性的な穀物不足に苦しんでいた。その背景には、農業人口の減少や、天災などがあった。そこで、マエケーナスからウェルギリウスへの依頼は、農業を知らない層に、農業の知識を教え、農村生活の魅力を伝える詩を書くようにというものだった。
ウェルギリウスの『農耕詩』は、奴隷を使わない中小の自由農民を想定した作品になっていた。詩のなかで彼は、汗と泥にまみれ、自らの手で働く農民たちの、神に祈り、自然を観察し、身を委ね、ときに自然と戦い、誇りを持って生きる姿を歌い上げた。実用的な農業の知識も含まれるが、中心テーマは、自然と人間の共生としての農耕だった。

注6　アカデミー・フランセーズ P187
フランス学士院 Institut de France を構成する五つのアカデミーのうちもっとも古くて権威がある。一六三五年にルイ十三世の治世の宰相リシュリューによりフランス語の保存と純化を目的として創設。四十人の終身会員によって構成された。彼らから物故者が出たときにだけ、全会員の投票で後継者を選定する。
会員には、その時代の代表的な詩人、作家、芸術家、演劇人、哲学者、医師、科学者、民族学者、批評家、軍人、政治家、聖職者文学者、文人などが選ばれた。彼らの重要な仕事は、『アカデミー・フランセーズ国語辞典』Le Dictionnaire de l'Académie Françaiseの編纂作業だった。現在、第九版（一九九二年）まで出版されている。
会員四十名は、「永遠不滅の正しいフランス語を守る」という役割を担っていることから「不滅の人 les

immortels」と呼ばれた。レヴィ＝ストロースや、ウジェーヌ・イヨネスコ、ミシェル・セールなどが名を連ねた。とにかく厳密なルールだったので、四十一番目の候補者になったまま、生前に物故者が出なくて、結局、会員になれなかった人物にはデカルト、パスカル、モリエール、ルソー、プルーストなどもいる。

当然ながら、「不滅の人」に選ばれるということは、フランスの文化人にとっては、最高の名誉だったことだろう。

注7　コーヒーの起源についての伝説　P196

コーヒーの発見伝説には、アラビアのふたつの説話を、ユーカーズが紹介している。

ひとつは、一二五八年頃、スーフィーの指導者だったシーク・オマルという男が、あることでモカを追放され、アラビアのオウサブという地で飲料としてのコーヒーを発見したという話。

追放されたオマルとその弟子たちは、餓死寸前になったため、あたりにある植物の豆を糧にするしかなかった。それがたまたま、コーヒーの実だった。

コーヒーの実を丸ごと鍋で煮て煎じ汁を飲んだオマルと弟子たちは、これが体にいいことを実感した。このことを人づてに聞いたモカの人たちは、不思議な飲料の効能に納得して、コーヒーの紹介者としてモカに戻ることが許されて、モカの司令官にオマルと弟子たちのために修道院を建ててもらった、というハッピーエンドの物語。

この話の出典は、アブダル・カディールの『コーヒーの合法性に関する潔白』。

もうひとつのよく知られた伝説では、コーヒーの発見者は、エジプトか、エチオピアのアラブ人の山羊飼である。これは、ギローム・マシューが「コーヒー」の詩の十三連以降で書いた伝説と同じ系統である。すなわち、山羊飼が、山羊たちがある灌木の実を食べて浮かれて騒ぎ回ることを不審に思い、近くの修道院（イスラームのスーフィーの集団）の院長に報告に行ったところ、その院長自身が事実を確かめるために、自分でもその実を食べてみた。すると、頭脳明晰になり、試しに実を煎じて弟子の修道士たちにも飲ませたところ、夜のお勤め（ズィクル）のときにだれも居眠りしなかったのだ。

この眠らない飲料の噂が広まり、木の実は王国中（エジプトかエチオピア）で評判になった、というもの。

この話はその後、さまざまなバリエーションが作られた。

このふたつの伝説に共通しているのは、発見場所がどこであれ、いずれもイスラームの修行者、それもおそらくはスーフィーがからんでいる、ということだ。

つまり、アラビア半島であれ、原産地のエチオピアであれ、当時、紅海を渡って交流のあったアラビア半島のスーフィーたちが関与して、コーヒー飲料の発見があった、ということは、ほぼ間違いないだろう。

注8　ホラティウス P200

クィントゥス・ホラティウス・フラックス Quintus Horatius Flaccus（紀元前六十五年〜紀元前八年）は、初代ローマ皇帝のアウグストゥスと同時代に生きた、ウェルギリウスと並び称されるラテン文学黄金期の詩人。書簡詩『詩について』（Ars poetica）のなかの「詩は絵のように（ut pictura poesis）」は有名。

注9　ギルバート・K・チェスタートン　P214
ギルバート・キース・チェスタートン Gilbert Keith Chesterton（1874〜1936）はイギリスの作家、批評家、詩人。ロンドン生まれ。推理作家としても有名で、カトリック教会に属するブラウン神父が遭遇した事件を解明するシリーズが探偵小説の古典として知られている。
アンターメイヤーが、自作の詩のタイトルに「チェスタートン風」としたのは、探偵ばりのクールな観察眼で情け容赦なくコーヒー以外の飲料を切って捨てる、みたいなところにあるのだろうか。

注10　ロンドン・コーヒーハウスから、新聞というメディアが誕生　P227
コーヒーハウスと新聞を含む出版メディアとの関わりは深い。コーヒーハウスに集った顧客たちが、海運ニュースや、内外の政治情報などを記事にした日刊新聞などを欲したことで、新聞などのメディアが誕生したと言われている（『産業革命と民衆』角山榮／河出書房新社／一九七五年）。
イギリスで最初の新聞がいつ発行されたかは実際には不明ながら、十七世紀に登場した新聞とコーヒーハウスの相性はよかった。
ロンドンのコーヒーハウスは、世界中の植民地からの情報が集まったので、メディアへの情報発信地になった。その場所に、発刊されたばかりの新聞も置かれ、人々に回覧された。

参考文献一覧

◉本書に引用されている詩集

『さかまく髪のライオンになって』小山伸二（書肆梓）二〇一九年 P73
『雨男、山男、豆をひく男』小池昌代（新潮社）二〇〇一年 P87
『雲の時代』小山伸二（書肆梓）二〇〇七年 P124
『サンチョ・パンサの帰郷』石原吉郎（思潮社）一九六三年 P139
『きみの砦から世界は』小山伸二（思潮社）二〇一四年 P164
『牧歌・農耕詩』ウェルギリウス／河津千代・訳（未來社）一九八一年 P200
『日々の地図』谷川俊太郎（集英社）一九八二年 P232
『Paroles』Jacques Prévert（Gallimard）一九四九年／邦訳『フランス名詩選』安藤元雄・訳（岩波書店）一九八八年 P237
『食卓に珈琲の匂い流れ』茨木のり子（花神社）一九九二年 P246
『ウンベルト・サバ詩集』ウンベルト・サバ／須賀敦子・訳（みすず書房）一九九八年 P249
『イタリアの詩人たち』須賀敦子（青土社）一九九八年 P254

『春の声』加藤温子（思潮社）一九九七年 P259
『野の舟』清水昶（河出書房新社）一九七四年 P264
『若いコロニイ』北園克衛（復刻・国文社）一九五三年 P268

●詩関連の本

『フランス詩大系』窪田般彌・責任編集（青土社）一九八九年
『詩とは何か』嶋岡晨（新潮社）一九九八年
『言葉と戦争』藤井貞和（大月書店）二〇〇七年
『湾岸戦争論』藤井貞和（河出書房新社）一九九四年
『声の祝祭　日本近代史と戦争』坪井秀人（名古屋大学出版会）一九九八年

●コーヒー関連の本

『ALL ABOUT COFFEE』William H. Ukers (The Tea & Coffee Trade Journal Company) Second Edition 一九三五年
『オール・アバウト・コーヒー』ウィリアム・H・ユーカーズ／UCC上島珈琲翻訳出委員会監修・翻訳（TBSブリタニカ）一九九五年
『オール・アバウト・コーヒー』ウィリアム・H・ユーカーズ／山内秀文・訳（角川ソフィア文庫）二〇一七年
『コーヒーとコーヒーハウス―中世中東における社交飲料の起源』ラルフ・S・ハトックス／斎藤富美子、

田村愛理・訳（同文舘出版）一九九三年
『コーヒーが廻り　世界史が廻る』臼井隆一郎（中央公論社）一九九二年
『アウシュヴィッツのコーヒー　コーヒーが映す総力戦の世界』臼井隆一郎（石風社）二〇一六年
『コーヒーの歴史』M・ペンダーグラスト／樋口幸子・訳（河出書房新社）二〇〇二年
『楽園・味覚・理性』W・シヴェルブシュ／福本義憲・訳（法政大学出版局）一九八八年
『チョコレートからヘロインまで』A・ワイル＋W・ローセン／ハミルトン遥子・訳（第三書館）一九八六年
『産業革命と民衆』角山榮（河出書房新社）一九七五年
『コーヒー・ハウス　都市の生活史―18世紀ロンドン』小林章夫（駸々堂出版）一九八四年
『珈琲物語』井上誠（井上書房）一九六一年
『喫茶店経営』『別冊コーヒー専門店』『たのしい珈琲』『blend』（柴田書店）
『銀座カフェ・ド・ランブル物語　珈琲の文化史』森尻純夫（TBSブリタニカ）一九九〇年
『Standart Japan』公式サイト　https://www.standartmag.jp/
『コーヒーに憑かれた男たち』嶋中労（中央公論新社）二〇〇五年
『コーヒーの科学』旦部幸博（講談社）二〇一六年
『コーヒーの歴史』旦部幸博（講談社）二〇一七年
『極める 愉しむ 珈琲事典』西東社編集部・編著（西東社）二〇一七年：特に上吉原和典・監修のパート1とパート5のコーヒー産地関係の記事

◉イスラーム関連の本

『日訳・注釈　聖クラーン』三田了一・訳注釈者（日本ムスリム協会）一九七三年
『日亜対訳 クルアーン「付」訳解と正統十読誦注解』中田考・監修、松山洋平、中田香織、下村佳州紀・訳（白水社）二〇一四年
『成熟のイスラーム社会』永田雄三、羽田正（中央公論社）一九九八年
『現代アラブの社会思想』池内恵（講談社）二〇〇二年
『イスラームとは何か』小杉泰（講談社）一九九四年
『イスラムの神秘主義』R・A・ニコルソン／中村広治・訳（平凡社）一九九六年
『イスラーム　生と死と聖戦』中田考（集英社新書）二〇一五年
『イスラームの論理』中田考（筑摩書房）二〇一六年
『クルアーンを読む　カリフとキリスト』中田考、橋爪大三郎（太田出版）二〇一五年
『イスラームを知ろう』清水芳見（岩波書店）二〇〇三年
『イスラム入門』ハミルトン・A・R・ギブ／加賀谷寛・訳（講談社）二〇〇二年
『ムハンマド　イスラームの源流をたずねて』小杉泰（山川出版社）二〇〇二年
『ムハンマドのことば　ハディース』小杉泰・編訳（岩波書店）二〇一九年
『慈悲深き神の食卓』八木久美子（東京外国語大学出版会）二〇一五年
『物語　アラビアの歴史』蔀勇造（中央公論新社）二〇一八年
『オスマン帝国衰亡史』アラン・パーマー／白須英子・訳（中央公論社）一九九八年

◉その他

『ソクラテスのカフェ』マルク・ソーテ／堀内ゆかり・訳（紀伊國屋書店）一九九六年
『食の文化史』ジャック・バロー／山内昶・訳（筑摩書房）一九九七年
『ワインの文化史』ジャン＝フランソワ・ゴーティエ／八木尚子・訳（白水社 文庫クセジュ）一九九八年
『1968 上・下巻』小熊英二（新曜社）二〇〇九年
『1968［1］［2］［3］』四方田犬彦、福間健二、中条省平・編（筑摩書房）二〇一八年
『フランス史 3』柴田三千雄・他編（山川出版社）一九九五年
『二十世紀』橋本治（毎日新聞社）二〇〇一年
『安田講堂 1968-1969』島泰三（中公新書）二〇〇五年
『アメリカ 1968 混乱・変革・分裂』土田宏（中央公論新社）二〇一二年
『子どもの味覚を育てる』ジャック・ピュイゼ／石井克枝、田尻泉・訳（CCCメディアハウス）二〇一七年
『ノーム・チョムスキー』ノーム・チョムスキー／鶴見俊輔・監修（リトル・モア）二〇〇二年
『アホでマヌケなアメリカ白人』マイケル・ムーア／松田和也・訳（柏書房）二〇〇二年
『食べること考えること』藤原辰史（共和国）二〇一四年

本書に登場した映画

『かもめ食堂』監督：荻上直子（二〇〇六年）P10、P120

『過去のない男』監督：アキ・カウリスマキ（二〇〇二年）P10、P120

『コーヒーをめぐる冒険』監督：ヤン・オーレ・ゲルスター（二〇一三年）P29

『ストレンジャー・ザン・パラダイス』監督：ジム・ジャームッシュ（一九八四年）P29

『ミッドナイト・イン・パリ』監督：ウディ・アレン（二〇一一年）P56

『突然炎のごとく』監督：フランソワ・トリュフォー（一九六二年）P84

『太陽と月に背いて』監督：アニエスカ・ホランド（一九九五年）P84

『ボウリング・フォー・コロンバイン』監督：マイケル・ムーア（二〇〇二年）P116

『いちご白書』監督：スチュアート・ハグマン（一九七〇年）P144

あとがき

本書の原稿整理に入った二〇一九年の暮れに、新型コロナウィルスのヒトへの感染が報じられた。中国湖北省の武漢市で原因不明の四十一人の肺炎の発症者が出て、その後、新型コロナウィルスが原因だったことが明らかになった。

やがて年を越え、このウィルスの感染者が世界中に拡散し、中国だけではなく、ヨーロッパ、アメリカと感染による死者が続出した。

日本でも緊急事態宣言が発せられ、多くの国民が自宅待機を余儀なくされた日々のなかで、このあとがきを書いている。

コーヒーは、十五世紀の半ばにアラビア半島の南端で産声をあげた。コーヒー誕生後も、人類は幾度となく、その生存を脅かされてきた。いまのような時期に、コーヒーを通して世界を考えるということに、何かしらの因縁を感じる。人類規模の疫病は、常に歴史というものがもたらす教訓に、人を立ち戻らせてくれた。

十六世紀初頭のアラビアの詩に「コーヒーの育ちたるところ悲しみなし。災いは／その力に慎み深く道を譲る。」とあるが、イエメンを筆頭に中東の現実は、残念ながら「悲しみなし」とは言えず、むしろ災いの地となっている感がある。これから先、コーヒー文化を育んだ地に、ふたたび悲しみや災いのない安らかな日々が来ることを願わずにはいられない。

さて、本書を作りあげることが出来たのは、的確な指摘と建設的な提案をしてくれた編集の清水美穂子さんのおかげである。また、本書の世界観をデザインで表現してくれた福井邦人さん、漫画の寝暮さんに、心から感謝の言葉を贈りたい。

二〇二〇年六月の晴れ間の見えた日に

小山伸二

小山伸二（おやま・しんじ）

1958年鹿児島県生まれ。東京都立大学法学部卒。
株式会社柴田書店で書籍編集者を経て、
1988年より辻調理師専門学校に勤務。食文化の授業を担当。
立教大学 観光学部兼任講師、日本コーヒー文化学会常任理事、
食生活ジャーナリストの会副代表幹事。書肆梓代表。
詩人としても活動している。
詩集『さかまく髪のライオンになって』（書肆梓）、
『きみの砦から世界は』（思潮社）ほか。

コーヒーについてぼくと詩が語ること

2020年8月30日　初版印刷
2020年9月10日　初版発行

著　　者　小山伸二

発 行 所　書肆梓
　　　　　編集　清水美穂子
　　　　　校閲　山内聖一郎
　　　　　装幀　福井邦人
　　　　　〒186-0004 東京都国立市中3-6-21
　　　　　https://note.com/shoshiazusa

印刷製本　藤原印刷株式会社
　　　　　営業　藤原章次
　　　　　印刷　山田進・種山敏明・小澤信貴・小宮山裕樹

ISBN978-4-910260-00-6 C0095

詩集
『いい影響』小峰慎也・著
本体1,600円+税　2016年10月1日
変形（160mm×160mm）　90ページ
ISBN 978-4-9909257-0-3 C0092
第3回エルスール財団新人賞（現代詩部門）を受賞した詩人、小峰慎也の最新詩集。
収録作品：M／いい影響／犬にとって／顔／軽い心、など22篇。

詩集
復刊①『ぼくたちはどうして哲学するのだろうか。』
小山伸二・著
本体1,000円+税　2016年12月3日(改定初版)
B6判　98ページ
ISBN 978-4-9909257-1-0 C0092
詩人、小山伸二の第一詩集。私家版の復刊。
収録作品：ひかりのひと／呪文／無限の発見／ぼくたちもまた、人生の旅人、など16篇。

詩集
復刊②『雲の時代』小山伸二・著
本体1,000円+税　2016年12月3日(改定初版)
B6判　120ページ
ISBN 978-4-9909257-2-7 C0092
詩人、小山伸二の第二詩集。私家版の復刊。
収録作品：靴が鳴る　初期歌謡論異聞／山と川／雲の時代、など20篇。

書肆梓 図書目録／2020.9.1現在

＊注文は、shoshi.azusa@gmail.com までお願いします。

文芸書
『月の本棚』清水美穂子・著
本体1,000円+税　2018年11月23日　A5判　152ページ
ISBN 978-4-9909257-5-8 C0095
さまざまなメディアで活動するブレッドジャーナリストの清水美穂子が、京都のパン屋さん「ル・プチメック」の公式サイトで3年半連載したブックレビューを1冊に。小説、エッセイ、アート、思想、自然科学、社会学とジャンルをこえて、いま読みたい37冊を厳選。きっと、あなたの気に入る本があるはずです。

詩集：
詩集『さかまく髪のライオンになって』小山伸二・著
本体2,000円＋税　2019年9月25日　A5判　182ページ
ISBN 978-4-9909257-8-9 C0092
小山伸二の第四詩集。ライオンになって、樹になって、咆哮し、まどろみ、喰らい、恋をする。この「素晴らしい世界」に贈る52篇の詩。

詩集
『二体』小峰慎也・著
本体1,200円+税　2015年4月1日(初版2刷)
A5判変形　70ページ
現代詩のなかでもひときわ異彩を放っている詩人、小峰慎也の詩集。
収録作品:象と川／節／床屋／耳、など21篇。

画本
『相変わりもせす』寝暮：著
1000円＋税 2019年4月25日（初版）
B5判 52ページ オールカラー
ISBN978-4-9909257-7-2 C0979
猫と動物、ときどき人間たちのシュールでクールな画本。言葉じゃなくて、物語ではなくて、全篇をながれるシニカルで、どこか憎めない猫のキャラクターに惹きつけられます。

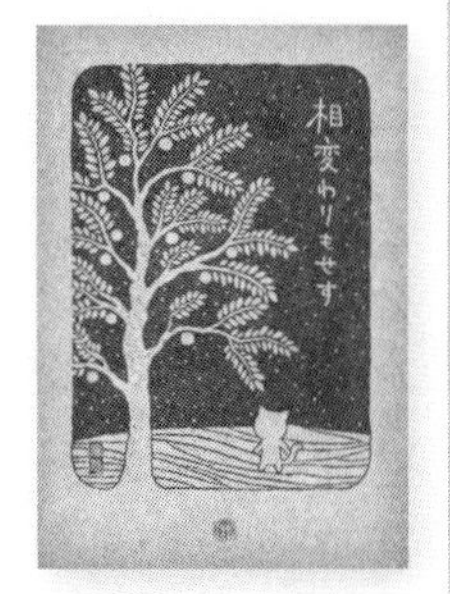

雑誌
『cloud nine magazine #00』
伊藤菜々子／犬鍋伸之介／小柳淳／清水美穂子／小峰慎也／寝暮／山内聖一郎／小山伸二／本村拓人
非売品：2020年2月1日発行　A５判　44ページ
書肆梓のPR誌です。これまでの著者、これからの著者の９人が寄稿しています。これからの書肆梓を予感させる9つの雲たち。

雑誌

『Colonia Nr.1』

臼井隆一郎／松岡洋之介／子安ゆかり／福井邦人／小山伸二：他著

500円（税込）2017年12月9日　A5判　60ページ

ISBN 978-4-9909257-3-4 C1495

ドイツ文学者の臼井隆一郎を中心にした勉強会「ことばと大地」から生まれた雑誌「Colonia」創刊号。「人の言うことを唯々諾々と拝聴する気は毛頭ない。」というメンバーによる論考、エッセイ、詩、漫画など。

雑誌

『Colonia Nr.2』

臼井隆一郎／松岡洋之介／子安ゆかり／高橋優／藤崎剛人／福井邦人／小山伸二：著

500円（税込）2018年6月30日　A5判　64ページ

ISBN 978-4-9909257-4-1 C1495

ドイツ文学者の臼井隆一郎を中心にした勉強会「ことばと大地」から生まれた雑誌「Colonia」第2号。「ネットに書いてあることを信じて違うとかいうお粗末さは相手にしたくないのです」というメンバーによる論考、エッセイ、詩、漫画など。

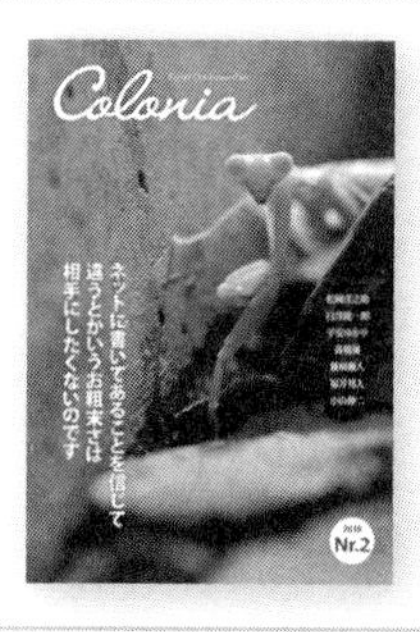

雑誌

『Colonia Nr.3』

臼井隆一郎／松岡洋之介／子安ゆかり／藤崎剛人／藤本憲信／美濃部遊／福井邦人／小山伸二：著

700円（税込）　2019年3月25日（改定初版）

A5判 64ページ

ISBN 978-4-9909257-6-5 C1495

ドイツ文学者の臼井隆一郎の新連載「独狂論」をはじめ、現代ドイツ思想の最先端をめぐる論考、エッセイ、詩、漫画など。